S0-AXQ-672
WITHDRAWN
NEWTON FREE LIBRARY

烙印

MARKED

LAOYIN

[美] P.C.卡斯特　克丽丝汀·卡斯特　著　徐懿如　译

给我们了不起的代理人，梅尔迪斯·伯恩斯坦，他说了三个神奇的词：暗黑血族、养成、学校。我们衷心感激你！

致 谢

我要感谢我的优秀学生约翰·马斯林，他帮我做了不少研究工作，阅读本书的几版初稿并给予反馈意见，他的意见非常宝贵。

非常感激2005—2006学年度参加我创造性写作课程的人们，你们的头脑风暴非常有用（而且很有趣）。

——PC

我要谢谢我可爱的妈妈，大家都叫她PC，她是一位超级天才作家，而且很容易合作（好吧，是她让我这么写的）。

——克莉斯汀

PC和克莉斯汀要一起感谢她们的爸爸/外公迪克·卡斯特，他帮暗夜学院的学员们建立了生物学假说基础。我们爱你，爸爸/外公！

摘自赫西俄德写给希腊夜之女神尼克斯的诗：

黑暗夜神的可怕乌云遮盖的家在这里；
阿特拉斯巍然屹立在它面前
用头和不倦的双手支撑着广大的天宇，
白天和黑夜往这里相向走进
在跨越巨大的青铜门槛时互相致意。

（赫西俄德《神谱》，第744行）[①]

①此处引用的译文摘自商务印书馆1991年版《工作日与时日·神谱》，张竹明、蒋平译。诗中阿特拉斯为肩扛天宇的泰坦神。——译者注（文中注释如无特别说明，均为译者注）

目录

第一章 初印

我本来想着这一天已经糟得不能再糟的时候，偏偏看见了那个死家伙站在我的储物柜旁边。而凯拉用她特有的凯式腔调喋喋不休，压根儿没注意到他。刚开始是这样，其实，现在我也在想，要是他不说话，根本没别人能注意到他。然而不幸的是，这却只能更加证明我自己是多么异想天开。

“不，但是，佐伊，我向上帝发誓，希斯在比赛之后没喝得那么醉。你真不该对他太严厉。”

“是啊，”我心不在焉地说，“当然。”然后我又开始咳嗽了。我感觉真不爽。我一定是感染了那个神经兮兮的生物进阶先修①老师韦斯先生所说的“青少年瘟疫”。

要是我真得了这病，不是就不用参加明天的几何测验了吗？做做

①生物进阶先修（AP biology）：美国高中给志愿大学学习生物的学生开设的一系列生物专业衔接和入门课程。成绩优秀者可获得大学学分。除生物外，还有很多其他进阶先修课程。

梦总可以吧。

“佐伊，拜托，你到底有没有在听啊？我想他大概只喝了四杯——我不确定——大概六杯啤酒吧，或者三小杯烈酒。但对他来说完全不算什么。要不是你那对讨人厌的父母比赛一结束就让你赶紧回家，他或许压根儿不会喝酒。”

我们交换了一个逆来顺受的表情，完全同意我妈和她三年前嫁的那个窝囊废上次对我的不公正待遇。然后，好像还没过喘口气的时间，凯又开始她那特有腔调的喋喋不休。

“另外，他是为了庆祝。我是指我们打败了联队！”凯晃着我的肩膀，把脸靠近我，“喂！你男朋友……”

“我的准男友。”我纠正她，尽量不冲她咳嗽。

“不管怎么说，希斯是我们的枢纽前卫，所以当然他要庆祝啦。断箭[①]队一百万年没打败过联队了。”

“十六年。”我估算着，凯无可救药的数学能力让我看起来像个天才。

“随便啦，不管怎么说。重点是，他非常高兴。你该让一个男生放松一下。”

“重点是，他这周已经喝醉五次了。抱歉，我不想和这种只会打大学橄榄球赛和喝酒的家伙交往。更别提他因为喝啤酒变得有多肥了。”我不得不停下来咳嗽。我有些头晕，只好慢下来深吸口气。但是凯根本没注意到。

“呃，希斯肥！还没到我想要的分量呢。”

我尽力压下又一阵要咳嗽的感觉：“吻他就像吻酒精泡的脚丫。”

凯的脸皱成一团：“好吧，真恶心！但是他在女生中那么有人气。”

---

①断箭（Broken Arrow）：美国俄克拉何马州城市。

我转转眼珠，一点儿都不掩饰对她那种典型的肤浅行为的恼怒。

“你不舒服的时候脾气就变得特别糟。无论如何，午饭时候你不理他，你不知道他的样子多么像无家可归的小狗。他甚至没……”

这时我看见了他，这个死家伙。好吧，我很快意识到他不是真正意义上的“死人”，他是活死人，或者根本就不是人。不管什么，科学家这么说，人们那么说，但结论是一样的。对他不会错的。就算我没有感觉到他身上散发出来的力量和邪恶，也绝对不会认错他的烙印。他前额上有个蔚蓝色的月牙形，派生出来的弯曲缠绕的刺青罩住他同色的眼睛。他是个吸血鬼[①]，更糟的是，他是个追踪者。

啊，浑蛋！他站在我的储物柜旁边。

“佐伊，你还是没听我说话！”

这个吸血鬼开口了，他正式的发言穿透我们之间的距离，危险中带着诱惑，正如血液中混杂着溶化的巧克力。

“佐伊·蒙哥马利！暗夜选中汝，汝之死亡即汝之新生。暗夜呼唤汝，听其甜美之声。暗夜学院之命待汝！”[②]

他抬起一根修长白皙的手指指向我。我的前额突然一阵剧痛，凯拉张大嘴，尖叫了出来。

当眼前一切重又清晰，我抬眼看到凯那张面无血色的脸，她在低头看着我。

像往常一样，我说出了进入我意识中的最可笑的事情：“凯，你的眼睛就快像金鱼的一样瞪出来了。”

“他给你烙印了。哦，佐伊！你前额上出现了印记！”她用颤抖的手压住苍白的嘴唇，却没压住一声啜泣。

我坐起来，咳嗽了一声。头疼得要命，我揉了揉眉心，感觉好像

①也有暗黑血族等称呼。

②追踪者的这段话是用中古英语说的。

被黄蜂蜇了一般刺痛，疼痛扩散到双眼，甚至蔓延到脸颊，我觉得自己快吐了。

“佐伊！”凯现在真的哭了起来，她哽咽着说，“哦，天哪！那家伙是追逐者——吸血鬼追踪者！”

“凯，”我用力眨眨眼，想驱散头疼，“别哭了！你知道我讨厌你哭。”我伸出手，想安慰地拍拍她的肩膀。

她不自觉地缩了缩，躲开了我。

我不敢相信。她真的躲开了，好像她怕我一般。她一定是看到我眼中闪过受伤的眼神，所以又开始一长串不间断的凯式唠叨。

“哦，天哪！佐伊，你要怎么办？你不能去那个地方。你不可能跟他们一样。这不可能！那样谁和我一起去看所有的球赛啊？”

我注意到即使在她唠叨不停的时候也没有再靠近我。我心里一阵难过，差点哭出来，但我强压住了。我的眼睛干涩，我很善于藏起眼泪。我早就习惯了，我用了三年时间学会这一点。

“没关系。我会弄明白的。可能有些……有些奇怪的误会。”我撒谎了。

我并不是真的想说话，只是勉强从嘴里迸出词来。虽然头疼到龇牙咧嘴，我还是站起身。我环视周围，发现就我和凯两个人在阶梯教室，这稍微让我松了口气，控制住想狂笑的冲动。我还没有被明天该死的几何考试时间安排完全逼疯。我该跑回储物柜去取书，这样晚上还能抱抱佛脚（虽然没指望）。追踪者会发现我和大多数断箭市南方中学一千三百个孩子一起站在学校前，等着我那像芭比娃娃一样的白痴姐姐会沾沾自喜地叫做“黄色豪华大轿车”的校车。我自己有车，但和那些不幸要等校车的学生站在一起是一种古老的传统，更别说那是互相传校园绯闻的极好方式。事实上，除了我们俩，留在阶梯教室里的还有另外一个孩子——又瘦又高的呆子，牙齿不齐，不幸的是，我肯定都被他看到了。他嘴巴一张一合地站在那里盯着我，好像我刚下了一窝会飞的猪。

我又咳嗽起来，咳到令人作呕。那呆子把一块板子抱在他瘦骨嶙峋的胸前，快步跑出教室，到戴夫人的办公室去了。我猜国际象棋俱乐部大概把放学后的聚会时间改到周一去了。

吸血鬼会下棋吗？吸血鬼里有没有呆子？有没有像芭比娃娃的吸血鬼拉拉队队长？有没有吸血鬼玩乐队？吸血鬼的非主流①会不会穿着古怪的女式裤子，而他们可怕的队员会不会也一样半遮着脸？或者他们都像那些不喜欢常洗澡的哥特小孩？我会不会变成一个哥特小孩，或者更糟，变成非主流呢？我不是特别喜欢穿黑色的衣服，至少不排斥其他颜色。我不讨厌肥皂和水，对改变发型或画很重的眼线也不热衷。

这些想法盘旋在我脑中，让我又差点狂笑出声，幸好我嗓子发出的是一阵咳嗽。

“佐伊？你还好吗？”凯拉的声音很高，好像有人扎她似的，她又退开了一步。

我叹了口气，开始有点生气。又不是我要这么做的。凯和我从三年级开始就是最好的朋友，而现在，她看我就好像我变成了怪物。

“凯拉，我就是我，和两秒钟、两个小时以及两天之前都一样。”我苦恼地撑着抽痛的脑袋，“我是不会被改变的。”

凯又要哭了，但幸好，她的手机响起了麦当娜《物质女孩》的铃声。她下意识地瞥了一眼来电显示。从她那不知所措的表情来看，我敢说是她男朋友杰莱德来的电话。

“接吧，”我用刻板、疲倦的声音说，“和他一起回家。”

她脸上放松的表情仿佛一巴掌扇在我脸上。

“晚点给我打电话！”她从边门匆忙撤走时又回头扔下一句话。

---

①原文为emo，或译为情感硬核，是极端情绪化、有自我毁灭倾向的一类人，特征是画很重的黑眼圈，穿奇装异服，大多喜欢摇滚，因而摇滚中也有一个流派被称为emo。

我看着她匆匆穿过东边的草坪到停车场去。她把手机紧紧抓在耳边，对杰莱德手舞足蹈地比画着解释。她肯定已经告诉杰莱德我要变成怪物了。

问题是，当然啦，变成怪物只是我的两种选择中比较光明的一种。第一种选择：我变成吸血鬼，在一般人心中等同于变成怪物。第二种选择：我的身体拒绝改变，而我会死。永远。

所以好消息就是，我不用参加明天的几何测验了。

而坏消息就是我必须搬到暗夜学院去。暗夜学院是位于塔尔萨[①]市中心的私立寄宿制学校，我所有的朋友都知道那是所吸血鬼养成学校。我会在那里度过接下来的四年时光，要经过古怪的、不知名的身体变化，也要永远彻底改变掉我的人生。而前提是，我没有在整个过程中死掉。

真是的，其实我也不想去。除了我那超级保守的父母、丑八怪弟弟和自以为是的姐姐，我只想正常一些。我想几何测验通过。我想升级，进入俄克拉何马州立大学的兽医学院，从而摆脱俄克拉何马州断箭市。最重要的是，我想融入人群——至少在学校里。家里已经没希望了，所以我只剩下家庭之外的生活和我的朋友们了。

而现在，这些也要从我身边被夺走了。

我揉着额头，直到把头发弄乱，半遮住眼睛，不幸的是，烙印已经开始显现了。我低着头，像在翻找着我包里的什么东西。我匆匆跑向通往停车场的门口。

但我刚跑出去就停住了。通过老式大门上并排的窗户，我看见了希斯。女生们簇拥着他，搔首弄姿，而男生们加速开着小卡车，装做很酷的样子（但大多数都失败了）。是不是说我要选择喜欢这种呢？不，公平点说，我记得希斯以前嘴甜得不可思议，就算现在也是一样风光——只要他别喝醉。

①塔尔萨（Tulsa）：美国俄克拉何马州第二大城市。

女生们尖嗓子的笑声从停车场传来。真行啊，学校里最大块头的女人凯西·里克特，假装要打希斯。就算从我站的地方来看，也能很明显地看出她打他不过是一种调情。而希斯这个笨蛋还是像往常一样站在那里傻笑。唉，该死，我这一天真是越来越糟。我浅青灰色的一九六六年的大众甲壳虫正好停在他们中间。不，我不能出去，不能头顶着烙印就走到他们中间去。我再也无法加入他们中了。我很清楚他们会怎么做。我想起了上一次南方中学被追踪者选中的那个孩子。

上个学年刚开始的时候，追踪者上课前就来到了学校，发现了那个正要去上第一节课的孩子。我没看见追踪者，但是我后来看见了那孩子，就一会儿工夫，他把书掉在地上，跑出教学楼，新烙印在他苍白的前额浮现，眼泪却滑过惨白的脸颊。我永远不会忘记那天早上大厅里有多拥挤，在他匆匆跑出学校大门的时候，每个人都像躲瘟疫一样躲开他。我也是那群给他让路，却盯着他的人中的一员。虽然我确实觉得对他很抱歉，但我只是不想被人贴上“和怪人来往的女孩”的标签。有点讽刺，是不是？

我转身走进了最近的卫生间，幸好没人。里面有三个隔间——对，我查了两遍有没有脚。一边墙上有两个洗手池，上面挂着两面中等大小的镜子，下边缘突出，可以放刷子、化妆品一类东西。我把我的小包和几何书放在那里，深吸一口气，一下抬起头，拨开头发。

我好像在盯着一张熟悉而又陌生的脸。你知道，就是那种你在人群中看见，你发誓你认识，但实际却叫不出来的那种。现在她就是我——熟悉的陌生人。

她有和我一样的眼睛——榛子色，说不清是偏绿还是偏棕，但我的眼睛从来没有这么大、这么圆过。有吗？她有和我一样的头发——长直发，和我外婆的头发变白之前一样，几乎是黑色。这个陌生人有和我一样的高颧骨、长而直的鼻梁和宽宽的嘴唇——又是遗传我外婆和她的切罗基人[1]祖先的特征。但我的脸从来没有这么苍白过，一直都是橄榄色皮肤，比家里所有人的都要深一些。但也许我的皮肤并非一下子变得这么白……只是在我前额正中那弯蔚蓝色月牙形印记的映衬下显得苍白。或者是讨厌的荧光灯的缘故，我希望这是因为荧光灯。

我盯着这奇特的印记，配上明显的切罗基人特征，似乎打上了野性的标记，仿佛我回到了蛮荒的古代。

从这一天起，我的生活彻底改变了。有一时刻——只是一瞬间——我忘却了没有归属感的恐惧，感到一种突如其来的高兴，我身体里流淌着的外婆族人的血液欣喜起来。

①切罗基人（Cherokee）：美国印第安人的一支，原居住在美国南部大部分地区，现居于俄克拉何马州及北卡罗来纳州的保留区。

第二章　变化

等我估计所有的学生都离开学校了，才把头发放下来遮住前额，走出卫生间。我匆匆穿过通往学生停车场的大门。一切似乎很安静——偶尔有几个追星族穿着模仿得很拙劣的肥腿裤路过停车场另一端，一边专注地说着什么，一边不停地提裤子，他们甚至没注意到我。我咬紧牙关忍着一阵一阵的头痛，拔开门闩，径直走向我的甲壳虫。

一走到室外，阳光向我袭来。其实，今天并不是特别热的天气，大朵大朵像美丽风景画一样的云彩飘浮在空中，半遮住太阳。但无济于事，即使在这种中等光照条件下，我的眼睛还是刺痛地眯了起来，我只好用手遮住阳光。我猜大概是因为太专注于阳光带来的刺痛，才没注意到一辆卡车发出刺耳的刹车声停到了我面前。

“嘿，佐！你收到我的短信了吗？”

哦，糟糕！是希斯。我抬起眼睛，从指缝中看着他，仿佛在看白痴恐怖电影。他坐在他朋友达斯汀的小卡车敞开的后挡板上。从他身后能看到达斯汀和他弟弟德鲁正在驾驶舱做他们通常的活动——扭打在一起，争论着天知道男生的什么白痴问题。幸好，他们没注意到我。我回过来看着希斯，叹了口气。他手里拿着瓶啤酒，傻笑着。我瞬间忘记了自己已经被烙印，注定要变成遭人讨厌的吸血怪物，我沉下脸怒目瞪着他。

“在学校喝酒！你疯了吗？”

他咧嘴笑开了：“是啊，我疯了，为了你，宝贝儿！”

我摇摇头，没理他，拉开我的甲壳虫摇摇欲坠的车门，把书和背包都堆在副驾座上。

“你们怎么没去练橄榄球？”我问，但还是别着脸不看他。

“你没听说？因为上周五我们打垮了联队，今天我们放假一天！”

达斯汀和德鲁，终于注意到了希斯和我，从驾驶室中发出两声非常俄克拉何马州式的喊声“哇——哦！”和“耶！”。

“哦，呃，没有，我一定是没听见通告。我今天很忙。你知道，明天有几何大测验。”我尽力让声音保持正常而冷漠，咳嗽了一声之后又加了一句，“另外，我得了重感冒。”

“佐，说真的，你是不是生气了？是不是凯拉说了有关聚会的坏话？你知道我从没有背叛过你。”

嗯？凯拉从没说过希斯背叛我。我像个傻子一样，忘记了我的新烙印（好吧，暂时的），快速转过头，瞪着他。

“你做什么了，希斯？”

“佐，我？你知道我不会……”但是他无辜的表演和理由全都在看到我的烙印之后吓得张大了嘴发不出声。“什么……”他正要开口，我打断了他。

“嘘！”我迅速转过头，不让达斯汀和德鲁发现，他们俩正在歇斯底里地唱着托比·基斯[①]的最新单曲。

---

①托比·基斯（Toby Keith）：美国乡村音乐歌手兼词曲作者，俄克拉何马州人。

希斯的眼睛仍然震惊地瞪着，不过他把声音压低了："那是不是你为戏剧课化的妆什么的？"

"不，"我轻声说，"不是的。"

"但你不可能被烙印。我们在恋爱。"

"我们没恋爱！"我忍着咳，反而咳得更厉害了，恶心得连痰都咳出来了。

"嘿，佐！"达斯汀从驾驶室叫道，"你该戒烟了。"

"是啊，你听上去像要把肺都咳出来了。"德鲁说。

"德鲁，别打扰她！你知道她不抽烟。她是个吸血鬼。"

很好。太好了！希斯一贯没大脑，还自以为站在我一边地冲他朋友大喊。而他朋友马上从车窗探出头来，像看科学实验品一样呆呆地看着我。

"啊，呸！佐伊是个怪物！"德鲁说。

我的怒气从刚刚凯拉躲着我就开始点着升温了，而德鲁麻木不仁的话让我的愤怒爆发了。我不顾太阳带来的刺痛，直直盯着德鲁，逼视他的眼睛。

"给我闭嘴！我今天已经够烦了，不需要你来说三道四。"我停下来看着睁大眼睛静下来的德鲁，然后又加了一句，"还有你。"我又转而和达斯汀对视着，突然意识到有些——有些古怪，让我惊奇又兴奋：达斯汀看起来很害怕，真的吓坏了。我又瞥了眼德鲁，他也一样很害怕。之后我感觉到了一种刺痛沿着我的皮肤游走，让我的新烙印如火烧一般。

力量。我感觉到了力量。

"佐？到底怎么了？"希斯的声音打断了我的注意，我收回了盯着那兄弟俩的视线。

"我们离开这儿！"达斯汀说着，挂上挡，踩下油门。小卡车向前蹿了一下，希斯一下子失去了平衡，滑了下来，摔在了停车场的柏油路面上，啤酒也被他甩出去了。

我不自觉地冲上去，说："你没事吧？"希斯四肢着地，我弯腰把他扶起来。

我闻到了很令人惊异的味道，温热、甜美又好闻。

希斯换了新的古龙水？是不是像电子灭虫器一样加入了吸引异性的信息素？我都没意识到我有多靠近他，直到他站直，我才发现我们的身体几乎贴到了一起。他低头看着我，眼中写着疑问。

我没有退后，按说我应该退后的，要是以前就会……但不是现在，不是今天。

"佐？"他轻声说，声音低沉嘶哑。

"你很好闻。"我禁不住这么说。我的心怦怦直跳，耳边都能听到心跳的回响。

"佐伊，我真的很想你。我们一起回家吧！你知道我真的爱你。"他伸出手触摸着我的脸。我们俩都注意到了他血污了的手掌。"啊，该死！我猜我……"他看着我的脸的时候住了口。我只能想象我现在的样子，我面色苍白，新烙印蔚蓝色的月牙处发烫，而我的眼睛盯着他流血的手。我动不了，无法移开视线。

"我想……"我低声说，"我想……"我想要什么，我说不上来。不，不是那样的。我不要说出来，不要把我狂热的欲望说出来。我憋得喘不过气。并非由于希斯离我这么近，他以前也靠近过我。见鬼，我们都交往一年了，他从来都没有让我有这种感觉，甚至类似的感觉都没有。我咬着嘴唇咕哝着。

小卡车刺耳地刹住车，滑到我们身边。德鲁跳下车，抓住希斯的手腕，把他猛拉向驾驶室里去。

"住手！我在和佐伊说话！"

希斯挣扎着，但德鲁是断箭队的高级中后卫，块头非常大。达斯汀走到他们旁边，砰地关上了车门。

"离他远点，你这个怪物！"德鲁冲我喊道，达斯汀发动车子，这次他们真的全速跑了。

我坐进甲壳虫，手抖得很厉害，不得不花了三倍的时间来启动引擎。

“回家就好，回家就好。”我一边开车，一边在剧烈地咳嗽中不断重复这句话。我不去想刚刚发生的事情，也不能去想刚刚发生的事情。

开车回家花了十五分钟，但我觉得好像眨眼间就到了。很快我就坐在车道上，尽量准备好面对即将到来的场面，里头等待着我的肯定是暴风骤雨。

为什么我还渴望回到这里呢？我不应该有这种渴望。我只是想逃离刚刚在停车场和希斯的那一幕。

不！我现在不该想这个。而且，不管怎么说，这一切都可以有合理的解释——理性但简单的解释。达斯汀和德鲁是两个笨蛋——灌满啤酒的脑袋完全不成熟。我不该用吓人的新能力去恐吓他们。他们只是被我被烙印这件事吓蒙了。就是这样。我的意识是说，人们害怕吸血鬼。

“但我不是吸血鬼！”我说道。我咳嗽了一下，想起希斯的血有多么的甜美醉人，而我对此的欲望又有多急速。不是为了希斯，而是为了希斯的血。

不！不！不！血既不甜美又不诱人。我肯定是吓呆了。就是这样，也应该这样。我惊呆了，头脑不大清醒。好吧……好吧……我心不在焉地摸了摸额头。已经不觉得烫了，但是仍然感觉异样。我又咳嗽了无数回。好，我不想希斯了，但我却不能否认，我感觉异样。我的皮肤超级敏感，胸口疼痛，甚至在戴上了毛伊·吉姆[①]的太阳镜之后，眼睛依然疼得流泪。

---

①毛伊·吉姆（Maui Jim）：世界著名的太阳镜品牌，以制造顶级偏光太阳镜著称。

“我要死了……”我咕哝着，然后马上就抿住了嘴唇。我可能真的快死了。我瞥了一眼这栋砖结构的大宅，三年了，依然没有家的感觉。“把一切都了结吧，只要了结就好。”至少我姐姐还没回来——她还在和拉拉队练习。另外那个丑八怪弟弟大概完全沉浸在最新的“三角洲特种部队——黑鹰坠落”（嗯……呃）游戏中。我大概能和妈妈单独说话。她可能会理解，也许她知道该怎么做……

啊，见鬼！我十六岁了，但突然觉得我只想找妈妈。

“拜托让她明白！”我低声向不管哪位只要能听到的神祈祷。

我像往常一样穿过车库，通过大厅到我的房间，把几何书、小包、背包都堆在床上。然后深吸一口气，稍微活动了活动脑袋，去找妈妈。

她在家庭活动室，蜷在沙发一头，一边呷着咖啡，一边看《女性心灵鸡汤》。她看上去很正常，和平时没什么两样。但她在看外国小说，而且化了妆，这两样都是她的新丈夫不允许的（多讨厌啊）。

“妈？”

“嗯？”她没抬眼看我。

我使劲儿咽了口气。“妈妈。”我用了在她还没嫁给约翰之前的称呼叫她，“我需要你的帮助。”

我不知道是不是“妈妈”这个叫法或是我声音里的某种东西触动了她剩余的母性直觉，她马上从书上抬起眼睛，温柔而且充满担忧地看着我。

“怎么了，宝贝儿……”她刚要说什么，嘴巴却在看到我额上烙印的同时定了格。

“哦，天哪！你在做什么？”

我的心又痛起来：“妈，我什么也没做。是有些事情发生在我身上，而不是因为我。那不是我的错。”

“哦，拜托，不要！”她仿佛没听见我的话般哭叫着，“你爸爸会怎么说呀？”

我想喊“我怎么会知道我爸爸会怎么说，我们十四年都没见过他，也没听过他说话了！”，但我知道没有用，要是我提醒她约翰不是我的“亲生”爸爸只会让她更生气。所以，我决定改变策略，采用三年前我就放弃的策略。

“妈妈，求你，能不能不告诉他？只要一两天就好。帮我保密，直到我们……我不知道……习惯了之类。”我屏住了呼吸。

“但我该怎么说呢？这个连化妆都遮不住。”她紧张地瞥了一眼月牙形的烙印，嘴唇奇怪地扭曲起来。

“妈，我不是说我要待在这里直到我们习惯，我必须离开，你知道的。”我咳嗽得全身颤抖，“追踪者给我烙印了。我必须搬到暗夜学院去，否则我只能变得越来越严重……”然后我会死掉，我想用眼睛告诉她，因为我说不出那几个词，“我只想要几天时间处理一下我和……”我停下来，因为我不必说出他的名字，我假装咳嗽起来，这倒是不难。

“我该怎么告诉你爸爸？”

她声音里的惊恐让我一阵害怕。她不是妈妈吗？难道不是她应该回答我的问题吗？

“就……就跟他说我到凯拉家住几天，因为我们有个生物大课题要做。”

我看着妈妈变化的眼神，担忧逐渐淡去，取而代之的是我已经很熟悉的冷酷。

“这么说你是要我向他撒谎？”

“不是，妈，我只是说我想要你，就一次，把我的需要摆在他的需要之前。我想你做我的妈妈，帮我收拾行李，送我去新学校。因为我很害怕，而且我又生病了，不知道能不能自己全部坚持下来！”我手捂住嘴，呼吸困难，又是一阵咳嗽。

“我不知道自己什么时候已经不是你妈了。”她冷冷地说。

她让我觉得比对着凯拉还累。我叹了口气：“我觉得这才是问题所在。妈，你根本不关心我，你嫁给约翰之后就只关心他。”

她冲我眯了眯眼：“你怎么能这么自私？你不知道他为我们做了多少吗？因为他我才能辞掉在迪拉达[①]的糟糕工作。因为他我们才不用担心钱的问题，还有这么漂亮的大房子。因为他我们才有安全、光明的未来。”

这些话我听过太多遍，都能背下来了。要是往常我们谈不下去的时候，通常都是我道歉，然后回到房间去。但今天我不能道歉。今天我不同了，一切都不同了。

“不，妈。事实是因为他你已经三年都不关心你的孩子们了。你知道你的大女儿已经变成一个卑鄙、娇纵的荡妇了吗？她勾搭过橄榄球队一半队员。你知道凯文背着你藏了多少下流、血腥的游戏？不，你当然不知道。他们两个表演得很高兴，假装喜欢约翰和该死的、虚幻的家里的一切。所以你对他们微笑，为他们祈祷，让他们为所欲为。而我呢？你认为我是坏孩子，因为我不假装——因为我诚实。你知道什么！我很讨厌这样的生活，庆幸追踪者给我的烙印！他们把吸血鬼学校叫做暗夜学院，但那也不会比这个完美的家更黑暗了！”在我哭喊出来之前，我转身大步冲向我的卧室，重重把门关上。

我希望他们都被淹死。

透过很薄的墙壁，我听见她正发疯地给约翰打电话。毫无疑问，他会冲回家来收拾我。这是个问题。我很想坐在床上痛哭，但我只是把背包里学校那点垃圾掏空。我需要知道我要去哪里，他们可能都没有正常的课程。他们可能只有像《撕裂人类喉咙基础方法》和《夜视概论》之类的课程。

不管我妈做了什么或没做什么，我都不能待在这里，我得离开。

那我需要带些什么呢？

除了我身上穿的以外，还有两条我最喜欢的牛仔裤和几件黑色T

---

①迪拉达（Dillards）：美国一家连锁百货公司。

恤。我想知道，吸血鬼还穿什么呢？另外，他们都很苗条。我差点儿放下了可爱的水绿色亮片背心，但全部黑色肯定会让我很压抑……所以我还是加上了这件。然后我又把一堆文胸、丁字裤、头发和化妆用品塞进侧袋。我差点儿忘了枕头上的毛绒玩具——鱼鱼奥蒂斯（我两岁的时候发不好“鱼”这个音）。但是……好吧……不管是不是吸血鬼，离了它我都睡不好。所以我把它轻轻塞进该死的背包里。

我听到敲门的声音，那意味着叫我出去。

“什么事？”我喊道，又激起一阵讨厌的咳嗽。

“佐伊，你妈妈和我要和你谈谈。”

很好，他们明显没有被淹死。

我拍拍鱼鱼奥蒂斯，说：“奥蒂斯，该遭罪了。”我挺直肩膀，又咳嗽了一声，然后出去面对敌人。

第三章　谈判

我头一眼见到我窝囊废继父约翰·何菲尔的时候，他看上去还可以，非常正常。（何菲尔，那是他真实的姓氏——而可悲的是，现在也是我妈妈的姓氏了。现在她是何菲尔夫人，你能相信吗？）他和我妈开始约会的时候，我甚至还无意中听到我妈的几个朋友说他“英俊”、“有魅力”。那只是当初。现在妈妈有了全新的朋友圈子，“英俊”、“有魅力”先生认为新圈子比以前和她一起玩的那群单身女人要相称得多。

我从来没喜欢过他，真的，不只是说我到现在才不能忍受他。从我第一天遇见他开始我就只看见一件东西——虚伪。他伪装成一个好人，一个好丈夫，甚至一个好父亲。

他外表和其他父亲年纪的人一样，黑头发，腿瘦得皮包骨，却开始长啤酒肚。但他的眼睛就和他的心一样，是陈旧、冰冷的棕色。

我走进家庭活动室，发现他站在沙发旁边，我母亲窝在沙发靠着他的一边，抓着他的手。她眼睛红红的，泪汪汪的。很好，她打算扮演因受到伤害而歇斯底里的母亲。她很擅长表演这个角色。

约翰开始打算用眼神穿透我，但我的烙印让他分神，他的脸厌恶地扭曲起来。

“撒旦，退到我后面去吧！”[①]他用一种我觉得很像布道的声音引用道。

我叹了口气：“不是撒旦，就是我。”

“现在不是挖苦的时候，佐伊。”妈妈说。

“我来处理，亲爱的。”窝囊废继父边说边心不在焉地拍拍她的肩，然后把注意力重又转向我，“我说过你的不良行为和态度问题迟早要出事，来得早一点也不奇怪。”

我摇头。早料到了，尽管料到了，却还是让我震惊。整个世界都知道任何人的任何事都不能引起转变。至于“如果被吸血鬼咬了，要么死，要么变成其中一员”这种概念纯粹是虚构。科学家近年来一直致力于找出在物理上导致人转变为吸血鬼的原因，希望此症可以治愈，或至少发明可以抵抗的疫苗。到目前为止，还没那么幸运。但现在，约翰·何菲尔——我的窝囊废继父，突然发现青少年的不良行为——特别是我的不良行为，大多就是偶尔撒个谎，招人生气的想法，和父母顶撞，偶尔对艾什顿·库奇[②]抱点小幻想（据说他喜欢老女人）——导致我身体上实际的物理反应。噢，该死！谁知道？

“又不是我引起的，”我终于开了口，“事情并不是因为我发生的，而是发生在我身上。地球上所有的科学家都会同意。”

“科学家并非无所不知。他们不是上帝的子民。”

我只是盯着他。他是信徒中的长老，并以此职位为荣。这也是我妈会被他吸引的其中一个原因，要按严格的逻辑层面来说，我倒是能

①该句出自《圣经·新约》中《马太福音》第16章第23节，《马可福音》第8章第33节及《路加福音》第4章第8节。

②艾什顿·库奇（Ashton Kutcher）：美国电影及电视演员，与比他大15岁的著名影星黛米·摩尔相恋并结婚。

理解。一个人能成为长老意味着他是个成功人士。他有合适的工作、不错的房子、完美的家人。按说他应该会举止恰当，信仰正确。理论上说，他应该是好丈夫、好父亲的很好选择。但可恨的是，理论并不能代表全部。而现在，果不其然，他要摆长老的谱，用上帝来压我。我用我很新很酷的史蒂夫·马登[①]平底鞋打赌，这会和让我恼火一样触怒上帝。

我再次尝试："我们在生物进阶先修课上学过。这是当部分青少年体内的荷尔蒙水平增高时会发生的生理反应。"我停下来，很仔细地回想，为我还能记得些上学期学过的东西而自豪："在某些人中，荷尔蒙触发了一些嗯……一种……一种……"我使劲儿想，终于想起来了，"一部分闲置的DNA，才开始了整个转变过程。"我笑了笑，并非对着约翰，只是为自己回忆几个月之前学习的一个单元知识的能力而激动。然而当我看到他紧咬牙关时才知道我笑错了。

"上帝的知识超越科学，否则你这么说就是在亵渎上帝，年轻女士。"

"我从没说过科学家比上帝聪明！"我抬起手，想压下一阵咳嗽，"我只是在向你解释。"

"我不需要一个十六岁孩子向我解释任何事。"

噢，他身上穿的裤子和衬衫都糟糕透了。很明显他需要年轻人向他解释些东西，不过现在提起他明显不得体的穿衣缺陷可不是时候。

"但是约翰，亲爱的，我们该拿她怎么办？邻居们会怎么说？"她脸色变得更苍白了，忍住没哭，"周日的聚会上，人们会怎么说？"

我刚张嘴要回答，他眯起眼睛，打断了我。

"我们会按照任何好人家该做的去做。我们把她交给上帝裁

①史蒂夫·马登（Steve Madden）：美国鞋业公司，以舒适的平底鞋和坡跟鞋闻名。

决。”

他们要送我去女修道院？不幸的是，我又被新一轮的咳嗽堵住，只好由他继续说。

“我们要给亚舍医生打电话。他知道这种情况该怎么处理。”

很好，太棒了！他要叫我们家的精神病医生，那个完全没有任何表情的人来。真完美！

“琳达，打亚舍医生的紧急呼叫号码，而且我们最好把祈愿信息发布系统①激活，让所有的长老都过来。”

我妈点点头，正打算起身，但我脱口而出的一番话又让她跌坐回沙发上。

“什么！你的答案就是给一个对青少年一无所知的精神病医生打电话，还要把那些食古不化的长老找到这里来？好像他们会试着去理解一样。不！你没明白吗？我必须离开，今晚就走。”我咳嗽着，简直撕心裂肺一般痛苦，“看到了吧！我只会变得更糟，如果我不去……”我犹豫了，为什么说出“吸血鬼”这个词这么困难？听起来像外语——很有决定性——而且，某种程度上我觉得，太妙了。“我必须去暗夜学院。”

妈妈跳起来，一瞬间我以为她打算救我。但约翰霸道地把手搭在她肩膀上。她抬头看了看他，再看向我的时候眼神里似乎带着点抱歉，可她的话，很明显，只表达出约翰让她说的内容。

“佐伊，如果你只在家待一晚，不会有问题吧？”

“当然不会，”约翰对她说，“亚舍医生会看情况决定是不是来看她，有他照顾的话，她绝对没问题。”约翰拍拍我妈肩膀，装得很体贴的样子，但声音却那么可憎。

我看看约翰，再看看我妈，他们不会让我走的。不仅是今晚，

①祈愿信息发布系统（prayer phone tree）：一种教会常用的信息发布系统，可以把语言、电子邮件、短信等多种信息发布方式结合起来，确保信息及时传达。

说不定永远都不会，除非我被急救员抬出去。我突然意识到不光是烙印的问题，而且我的人生已经完全改变了。事关对我的控制。如果他们让我离开，他们可以说是输了。在我妈妈来说，我宁可想象成她害怕失去我。但我知道约翰不想输。他不想失去在家中的大权，也不想打破我们这个完美小家庭的幻象。我妈刚说过："邻居们会怎么说？——周日的聚会上，人们会怎么说？"约翰必须维持这个幻象，如果这意味着让我病得非常非常严重，那么好吧，他很愿意付出这种代价。

但是，我不愿意付出这种代价。

我估计是我该把握住主导权的时候了（毕竟，他们该修理够了）。

"好吧，"我说，"叫亚舍医生来，也把祈愿信息发布系统打开。但你们介不介意我回去躺着等他们来？"我这次咳嗽得恰到好处。

"当然不介意，宝贝儿，"妈妈说道，明显看出来她松了口气，"休息一下可能会让你觉得好点。"然后她从约翰的霸道的臂弯中脱出，笑了笑，抱住了我，"要不要我帮你拿点奈奎尔[①]来？"

"不用了，我没事。"我边说边回抱了她一会儿，很希望现在还是三年前，那时候她还是我的——还站在我一边。我深吸一口气，退回来，又重复道，"我没事。"

她看着我，点点头，用眼神告诉我，很抱歉她只能这么做。

我转身准备回房间去，窝囊废继父在我身后说："你最好帮我们大家一个忙，看你能不能找到什么粉之类的，把你额头上的东西遮住。"

我没停下来，只是一直走，也没有哭。

---

①奈奎尔（NyQuil）：一种含酒精的感冒药水，帮助缓解主要的感冒症状，通常在夜间服用。

我会记住的，我断然对自己说。*我会记住他们今天让我有多难过。所以当我以后感觉恐惧、孤独以及任何其他不幸降临到我身上时，我会记住再没任何事情比今天的残酷对待更糟的了，没有。*

第四章　出走

我坐在床上咳嗽着，听见我妈发疯似的给我们家的精神病医生打电话，然后又是一个同样歇斯底里的电话开通可怕的祈愿信息发布系统。三十分钟之内，我家就会挤满胖女人和她们眼神机警、有恋童癖的丈夫们。他们会把我叫到家庭活动室，把我的烙印当做真正紧急、重大的问题。他们很可能会往我脸上涂什么肯定会堵塞毛孔的垃圾油膏，在他们把手放在我身上开始祈祷之前，就会引起超大的脓包。他们会请上帝帮助我不要做不良少年和家里的问题少女。哦，肯定也会考虑要怎么去弄掉我的烙印。

要只是这样倒简单了。我很高兴和上帝做个交易，让我变成好孩子，省得改变学校和种族。考几何也没问题。唉，好吧！也许不是几何考试——但是，我还是不想被叫做怪物。整件事情意味着我不得不离开，做一个新生儿，在某个地方重新开始我的人生，那地方我一个朋友也没有。我使劲儿眨眨眼，强制自己不要哭。学校是唯一一个我觉得像家一样的地方，朋友就是我的家人。我攥起拳头，使劲儿压着脸，不让自己哭出来。一步一步来——我这一次只能走一步。

想让我听窝囊废继父摆布是没门儿的。而且，就是其他信徒还不够糟，恐怖的祈祷之后还会跟着一样讨厌的亚舍医生。他会问我一大堆这样那样感觉的问题。然后他会大谈特谈青少年焦虑行为正常但只有我才能觉得如何影响自己的生活，没完没了。既然是“紧急”情况，他可能会要我画什么东西，代表我的内心之类的。

我一定要离开这里。

好在我一直被当成“坏孩子”，也一直准备这种情况的发生。好吧，我在窗外花盆里藏一把我车的备用钥匙时，本来没想到从家里逃跑是为了要变成吸血鬼，我本来只想到可能要溜出来去凯拉家。或者，如果我真想学坏的话，可能会在停车场和希斯幽会。但是希斯开始酗酒，而我开始变成吸血鬼。有时候，生活还真是没有任何道理可言。

我抓起背包，打开窗，轻松地想到我罪恶的天性压过了窝囊废继父的无聊布道。我爬到窗外，戴上墨镜，瞥了瞥四周。现在才差不多四点半，天还没黑，所以很庆幸我家有篱笆可以让我不被吵闹的邻居发现。靠房子这一侧只有我姐姐房间的窗口，她应该还在拉拉队练习。（天知道我头一次衷心为整天围绕着她的“欢呼运动”而高兴。）我先把背包扔下去，再慢慢沿着窗户下去，小心在草地上落脚的时候不发出哪怕一点摩擦声。我停在那里好久，把脸埋在臂弯里，压住吓人的咳嗽。我弯下身，抬起外婆里德伯德给我的熏衣草花盆，摸出草中若隐若现的金属钥匙。

我像《霹雳娇娃》中的一个女孩一样，打开大门，一点一点推开过程中甚至没有发出一点响声。我可爱的甲壳虫还在以往的位置——我家有三个车位的车库的第三个门前，窝囊废继父认为剪草机更重要，曾经不让我把车停进去。（比一辆有年头的大众还重要？怎么可能？根本说不通，切，我说话像个男人。从什么时候我开始在意甲壳虫的年份了？我肯定是变了。）我看看两边，没有情况。我冲向甲壳虫，跳上车，放到空挡，真是感谢我家陡得可笑的车道，我的车才好安静地缓缓驶入街道。从这里向东就可以高速离开这个高档社区了。

我甚至没有看一眼后视镜。

我腾出手，关掉手机。不想和任何人说话。

噢，其实不是，有一个人我很想和她谈谈，她是这个世界上唯一一个不会看见我的烙印就把我当成怪物或讨厌我的人。

我的甲壳虫好像能读懂我的思想一般，自觉地拐上了通往麝香公路[①]的高速路，而终点就是世界上最美好的地方——我外婆里德伯德的熏衣草庄园。

不像从学校开车回家，去里德伯德外婆家庄园的一个半小时路程仿佛一直都到不了头。当我从双车道的高速路开到通往外婆家的满是泥泞的公路时，浑身已经比新换了发疯的体育老师那时候还疼。当时她拿鞭子冲我们吼着，逼我们做疯狂的负重体操。好吧，也许她没拿鞭子，但都一样。我浑身肌肉疼得受不了。差不多六点了，太阳终于开始下山，但我的眼睛还在刺痛。事实上，就算是微弱的阳光也让我的皮肤疼痛，感觉不舒服。好在已经十月底了，很快就到可以穿我的"博格入侵4D"[②]兜帽外套了（当然，就是去拉斯韦加斯体验《星际迷航：新的一代》[③]时候买的，不幸的是，我有时候就是个彻头彻尾的《星际迷航》迷），幸好，兜帽几乎可以遮住全身。在钻出甲壳虫之前，我从后座上搜出一顶俄克拉何马州立大学的棒球帽戴上，以免脸被太阳照到。

---

①麝香公路（Muskogee Turnpike）：俄克拉何马州重要干道之一。从断箭市起始，终点在州西部的韦伯斯瀑布镇。

②博格入侵4D（Borg Invasion 4D）：是一家以《星际迷航》（Star Trek）为主题的公园，位于拉斯韦加斯。

③《星际迷航：新的一代》（Star Trek：The next Generation）：又译《星际迷航：星空奇兵》，1994年上映的《星际迷航》系列第七部电影。

外婆的房子坐落在两块熏衣草田之间，被几棵巨大的老橡树遮蔽着。这是一座建于一九四二年的俄克拉何马传统石头房子，有舒服的阳台和不常见的大窗户。我爱这座房子。只要沿着小木梯登上阳台，就能让我感觉更安全。我看见外墙上贴着一张便条，便很容易认出是里德伯德外婆漂亮的笔迹："我在悬崖边采野花。"

我摸了摸那张柔软的散发着熏衣草香味的纸。她总是知道我什么时候来拜访。小时候我觉得很奇怪，长大之后我才意识到那是她的超直觉。我一直都知道，不管发生什么，我都能寄希望于里德伯德外婆。在我妈嫁给约翰的头几个糟糕的月里，要是周末不能逃到外婆家，我就觉得自己绝望了，要死了。

一瞬间我想进屋去等她（外婆从来不锁门），但是我需要见到她，让她抱抱我，跟我说说我本想让妈妈说的话："别害怕……没事的……一切会过去的。"所以我没进门，发现最北面的熏衣草田边上小路通向悬崖，于是我跟过去，用指尖抚过最近处植物的顶端，我走着，它们散发出甜甜的悦人的香气包裹着我，好像在欢迎我回家。

感觉好像有好几年没来过了，其实只有四周而已。约翰不喜欢外婆，他觉得她很古怪。我曾经偷听到他对妈妈说外婆是个"该死的女巫"。他这个蠢驴！

突然间一个惊人的念头冒了出来，让我彻底停下了脚步。我父母再也不能控制我的行为了。我再也不和他们住在一起了。约翰再也不能摆布我了。

哇啊！棒极了！

骤然的高兴又引发了我一阵痉挛似的咳嗽，我不禁抱住了双臂，好像平常抱住胸口那样。我需要找到里德伯德外婆，我现在就要找到她。

第五章 神游

通往悬崖边的小路一直都很陡，不过我已经爬过许许多多次了，不管有没有外婆在身边，从来没有像今天这种感觉。并非只因为咳嗽，也不只因为肌肉酸痛，我头晕目眩，胃里也开始咕咕作响。这倒让我想起了梅格·瑞恩在电影《情定巴黎》中的角色，吃了太多的奶酪之后开始的乳糖不耐受症。（凯文·克莱恩在电影里相当可爱——好吧，对一个老男人来说。）

我开始流鼻涕，而且不只是抽抽鼻子这么简单，而且用兜帽外套的袖子擦鼻子（真粗俗）。我鼻子不通，只好用嘴巴呼吸，但这又让我咳嗽得更剧烈，而我的胸口也疼得好厉害！我尽力回忆有哪些孩子是因为没有完成向吸血鬼的转变而被堂而皇之杀掉的。他们是不是死于心脏病？或者说有没有可能因为咳嗽流鼻涕而死的？

别想了！

我要找到里德伯德外婆。要是外婆没办法回答，她也会弄明白的。里德伯德外婆理解人们。她说是因为她一直没有放弃切罗基族传统，而她血液中流淌着先代女巫所传承的部落知识。一想起每次提到窝囊废继父时她那皱眉的表情（她是唯一知道我这么称呼他的成年人），我就很想笑。里德伯德外婆说很明显里德伯德家女巫的血统漏过了她女儿，但那是因为要保存起来，将古代切罗基族的魔法加倍传给我。

小时候我无数次牵着外婆的手爬过这条小路。在长着高高的野草和野花的草地上，我们展开一块鲜艳的毯子，一边野餐，外婆一边给我讲切罗基族人的故事，教我他们的语言中听起来很神秘的词汇。每当我走在蜿蜒的小路上，那些古代的故事就好像篝火冒出的轻烟一般一直在我脑中盘旋环绕……包括一个悲剧故事，部族人鞭打一只偷玉米粉的狗时，星星是如何形成的。这只狗嚎叫着跑回北方的家，玉米粉散落在天空中，而魔法使它们变成了银河。还有一只大秃鹰是如何用它的翅膀造就了山脉与峡谷。我最喜欢的故事是说一个年轻女性太阳住在东方，而他的弟弟月亮住在西方，里德伯德家族就是太阳的女儿。

“不是很奇怪吗？我是里德伯德家的一员，也是太阳的女儿，但我却要变成暗夜中的怪物。”我听见自己大声自言自语，却对我虚弱的声音很是惊诧，特别是我的话好像回声一般在我身边环绕，仿佛我在一只振动的鼓里说话。

鼓……

这个词让我想起小时候有一次女巫外婆带着我，我的思绪不禁回到了过去，那次我其实听到了仪式上有节奏的鼓点。我环顾四周，眯眼对抗着落日最后的余晖，这让我眼睛刺痛，视觉扭曲。现在没风，但岩石和树木的影子却在移动……延伸……伸向我。

“外婆，我害怕……”我一边咳嗽一边叫着。

大地的精灵没什么可畏惧的，佐伊小鸟。

“外婆？”我听见她的声音在叫我的小名，还是只是我脑中回忆的古怪回音？“外婆！”我又叫道，站直身子，等待回答。

什么都没有，除了风声。

U–no–le……切罗基语中代表“风”的词划过我脑中，像一场半醒的梦。

风？不，等等！刚刚那一刻并没有风，但此刻我却要一只手按住帽子，另一只手拨开被强风刮着横扫过脸上的头发。而后在风声中我又听到了很多操着切罗基语的声音伴着仪式上的鼓点交谈着。我透过乱发的缝隙和眼泪看见了烟雾。而坚果和矮松的香甜气味满溢我的口腔，我品尝着先祖篝火的味道。我喘息着，尽量调整呼吸。

我就是在那时感知到了他们，他们就在我周围，几乎可以看见他们闪着微光的形体，好像夏天柏油路上蒸腾起的热浪。他们绕着切罗基族朦胧的篝火，踏着优雅而又复杂的舞步，我能感觉到他们拂过我身边。

加入我们，u–we–tsi–a–ge–ya[①]*……加入我们，女儿……*

切罗基族的幽灵随呼吸进入我的肺中……与我父母的斗争……我从前的生活已经过去了……

这对我来说太多了，我逃走了。

我猜我们生物课上学的关于肾上腺素在危急时刻大量消耗的知识是正确的，因为就算我觉得胸口快要爆炸了，像在水底呼吸那么艰难，我跑过小径最陡的那段也如履平地。

我停下来喘口气——已经越走越高了——想全力逃开像雾一般在我身边徘徊的吓人的精灵，但我非但没有跑远，反而更加深入他们烟雾和阴影般的世界中。我要死了吗？是这样吗？是因为这样我才能看见幽灵？那道白光又在哪里呢？我彻底慌了，只顾向前跑，不断挥舞着胳膊，想要驱散缠住我的恐惧。

我没有看到小路坚硬的地面上横亘的树根，已经完全迷茫的我想要保持平衡，但我的反应能力完全失效了，我重重地跌倒在地。头痛剧烈起来，不过只持续了一瞬间，我就被黑暗吞没了。

---

①u–we–tsi–a–ge–ya：切罗基语，意为“女儿”。

醒来的时候感觉很古怪，我以为我的身体会很疼，特别是头和胸口，但是我却感觉……嗯……感觉很好。事实上，不是一般的好。我没咳嗽，四肢轻松、有感觉而且很温暖，好像在寒冷的夜晚刚刚钻进满是泡泡的浴缸。

啊?

我惊奇地睁开双眼，凝视着光亮，却奇迹般地没有刺痛眼睛。比起太阳光，这更像是柔和的烛光，像雨点般从天而降。我坐起身，却发现我错了。光亮没有掉下来，而是我在向光亮移动。

我要上天堂了。好吧，这会让某些人惊讶。

我瞥见了我的身体！我或是它或是……或是……不管什么，恐怖地躺在非常接近悬崖边的地方，身体非常僵直，前额擦伤，流了好多血。血滴在岩石地面的缝隙中，小径上形成一道红色斑驳的泪痕，一直延续到悬崖中间。

俯视自己这种事绝对怪异。我却不害怕。我本应该害怕的，对不对？这是不是意味着我死了？也许我现在能更清楚地看到切罗基族的幽灵了。即使这种想法也没让我害怕。其实，我非但不害怕，还更像一个观察者，好像这些全然不能触动我。（有点像那种滥情的女孩，不怕会怀孕或染上那种能烧掉脑子的严重疾病。好吧，十年之后才见分晓，对不对？）

我欣赏着世界的样子，崭新而闪耀，但我的身体却一直吸引着我的注意力。我飘向它，我在短而浅地喘息着，不是，是我的身体喘息着，并非现在的我。（代词使用混乱了。）我/她看起来不好，我/她面色苍白，嘴唇发青。嘿！苍白的面孔，青色的嘴唇，鲜红的血液！我是个烈士还是怎么着?

我大笑起来，这太神奇了！我发誓我可以看见我的笑声在我身边飘浮，好像吹掉蒲公英的绒球一样，只不过蒲公英的绒球是白色的，而笑声是磨砂般半透明的青灰色。哇哦！谁知道撞到头晕过去会这么有趣？不知道这种状况是不是就像喝高了。

蒲公英糖霜一般的笑声淡去了后，我又听到了如水晶碰撞般清脆的流水声。我靠近我的身体，才发现刚刚我以为只是地上的一条裂缝其实是条窄窄的深缝。水声似乎就是从这里深处传来。我好奇地向下看，发现银色闪光的话语沿着岩石倾泻下来。我尽力去听，但也只能听到微弱如窃窃私语般的银色声音。

佐伊·里德伯德……到我这里来……

“外婆！”我冲着岩石的缝隙大喊，我的话是明亮的紫色，散发到空气中包围着我，“是你吗，外婆？”

到我这里来……

银色的话语混合了我声音的紫色，变成了晶莹的熏衣草花色。这是一种征兆！一种启示！大概是说，就像切罗基人信仰了上千年的精灵在指引一样，里德伯德外婆是在告诉我要到岩石下头去。

我再也没有犹豫，驱使灵魂向前，下到缝隙中，跟随着我的血痕以及银色的外婆的低语来到一处地面光滑的石室。石室中央有一股水流在喷涌着，散发出鲜艳玻璃般色泽的叮叮当当的可见声音，混着我血液的猩红色，让石室染上了一层若隐若现的干草色。我想坐在喷涌的水流旁，让手指触摸周围的声音，把玩音乐的质感，但那个声音开始呼唤我了。

佐伊·里德伯德……跟我踏上你的命运。

我跟随着水流中女声的呼唤。石室逐渐变窄，最后变成了一条圆形的地道，蜿蜒曲折，缓缓盘旋围绕，到一面石墙前终结。墙上满是刻上去的符号，看上去既熟悉又陌生。我迷惑地看着水流倾入墙中的缝隙消失了。现在怎么办？我是不是还要跟下去？

我回头看着地道，除了闪耀的光，什么也没有。我转向墙壁，感觉好像被电击了一下。哇！有个女人盘腿坐在墙壁前面！她穿着带流苏的连衣裙，上面用珠片点缀成和她身后墙壁上的符号一样的图案。她美得难以置信，长长的黑直发闪耀着蓝紫色的光辉，像渡鸦的羽翼。丰满的嘴唇随说话而弯曲，她嗓音中银色的力量充盈在她与我之间。

Tsi-lu-gi U-we-tsi a-ge-hu-tsa[1]*。欢迎，我的女儿。你做得很好。*

她在说切罗基语，虽然我几年没说过了，但仍能明白每个词的意思。

“你不是我外婆！”我脱口而出，感觉有点尴尬，无所适从，我紫色的话语混杂到她的话语中，让空气中弥漫着亮闪闪的熏衣草花瓣。

她的笑容就像初升的太阳。

我不是她，女儿，但是我和西尔维亚·里德伯德很熟。

我深吸一口气：“我死了吗？”

我怕她会嘲笑我，但她没有。她黑色的眼睛里满是温柔和关切。

没有，u-we-tsi-a-ge-ya。你还活得好好的，不过你的精神暂时游荡在纳尼海[2]*的国度。*

“灵体族！”我向地道四周瞥了瞥，想从阴影中辨认出几个人形来。

你外婆教了你不少，u-s-ti Do-tsu-wa[3]*……小里德伯德。你是融合了古代生活方式与当代世界——古代部落血统与外族脉搏的唯一存在。*

她的话让我冰火两重天。“你是谁？”我问。

我有很多名字……变化女神[4]*、盖亚*[5]*、阿库鲁巨斯*[6]*、观音、蜘*

---

①Tsi-lu-gi U-we-tsi a-ge-hu-tsa：切罗基语，意为“欢迎，小姑娘”。

②纳尼海（Nunne'hi）：切罗基神话中的不朽的一族，以精神体存在。

③u-s-ti Do-tsu-wa：切罗基语，意为“小红雀”，与小里德伯德（little Redbird）同义。

④变化女神（Changing Woman）：印第安神话中的女神，人类始祖。

⑤盖亚（Gaea）：希腊神话中的大地之神，宙斯的祖母。

⑥阿库鲁巨斯（A'akuluujjusi）：因纽特神话中的女神，造物神。

蛛祖母[1]，甚至黎明……

她每说一个名字，脸都随之变化一次，我已经被她的法力弄得头晕眼花。她肯定明白了，因为她停下来，重又对我现出美丽的微笑，面容也换回我刚刚见到她的样子。

但是你，佐伊小鸟，我的女儿，可以用今天你的世界所熟知的名字来叫我，尼克斯。

"尼克斯，"我的声音只比喃喃自语大一点点，"吸血鬼女神？"

其实，最先是古代希腊的变化者们这么叫，他们最先在无尽的黑夜中找到我作为母亲来崇拜。多年来，我一直高兴地把他们的后代叫做我的孩子。对，在你的世界里，那些孩子被叫做吸血鬼。接受这个称呼吧，u-we-tsi-a-ge-ya，你会从中发现你的命运。

我感觉到前额的烙印在发烫，我突然间想哭："我……我不明白。发现我的命运？我只是想到一种开始新生活的方法——让一切都安好。女神，我只想在什么地方安顿下来。我不觉得有必要去发现我的命运。"

女神的脸又柔和下来，她的声音像妈妈一样，更加温柔，仿佛世界上所有的母爱都融于她的话语中。

相信你自己，佐伊·里德伯德。我亲自给了你烙印。你将是第一个我真正的u-we-tsi-a-ge-ya v-hna-I Sv-no-yi[2]……这个时代中的……夜的女儿。你是特别的，接受你自己，你会明白你的独特中蕴涵的真正力量。在你体内，融合着古代女巫与长老们魔法的血液，与对当代世界的洞察力。

女神站起来，优雅地向我走来，她的话语画出银色的代表力量的符号，围绕着我们。她走到我身边，擦去我脸上的泪痕，又捧起我的

①蜘蛛祖母（Grandmother Spider）：北美土著神话中的造物女神。

②u-we-tsi-a-ge-ya v-hna-I Sv-no-yi，切罗基语，意为"夜的女儿"。

脸。

佐伊·里德伯德，夜的女儿，你将作为我在现世中的耳目，代我观察这个在善与恶的斗争中寻找平衡的世界。

“但我才十六岁！还是个孩子！我怎么能知道该如何做你的耳目？”

她只是静静地笑笑。*你早已超出了你的年龄，佐伊小鸟。相信自己能找到方法。但要记得，黑暗并不总是等同于邪恶，正如光明并不一定总是带来善良。*

女神尼克斯，古代夜的化身，倾身在我额前一吻。然后我今天第三度晕了过去。

第六章　交接

美丽，看云朵，云朵现；
美丽，看雨滴，雨滴近……

古老的歌词浮现在我的脑海中。我一定又梦到里德伯德外婆了。这让我感觉温暖、安全又高兴，现在的感觉特别好。因为最近感觉太糟……但我又不记得为什么了。嘿，奇怪！

谁在说话？
小小的玉米的耳朵，
立在高高的茎秆上……

外婆的歌一直在唱着，我侧身蜷成一团，前额在软软的枕头上蹭了蹭，一边舒了口气。不幸的是，一动脑袋就是一阵疼痛贯穿太阳穴，就像子弹贯穿窗玻璃，粉碎了我的好心情，昨天的记忆又把我压倒了。

我正在变成吸血鬼。

我从家里逃了出来。

我出了点事故，感受到了某种古怪的濒死体验。

我正在变成吸血鬼。哦，天哪！

啊，我的头受伤了。

“佐伊小鸟！醒了吗，宝贝儿？”

我眨眨模糊的双眼，看清是里德伯德外婆坐在床边的一把小椅子上。

“外婆！”我哑着嗓子，摸到了她的手。我的声音简直和我脑袋的感觉一样糟，“发生了什么事？我在哪里？”

“你很安全，小鸟。你很安全。”

“我的头受伤了。”我伸手轻触脑袋上感觉又酸又紧的地方，手指摸到了缝针留下的痕迹。

“是啊。你吓得我减寿十年。”外婆轻轻摩挲着我的背，“好多血……”她颤抖了一下，摇摇头，冲我微笑道，“是不是应该保证以后不再这样了？”

“我保证，”我说，“这么说，是你发现我……”

“浑身是血，失去意识，小鸟。”外婆拨开我额前的头发，手指轻触我的烙印，“面色极其苍白，衬得你的蔚蓝色月牙都快发光了，我知道你肯定要被带到暗夜学院去，就带你来了。”她恶作剧般地笑笑，“我给你妈妈打电话，告诉她我要把你交还给暗夜学院，我要不是假装手机信号断了，根本就没办法挂断电话。恐怕她对咱们两个都很生气。”

我向里德伯德外婆回了一笑，嘿嘿，妈妈也生她气了。

“但是佐伊，你白天在外头到底在干吗？还有，干吗不早点告诉我你被烙印了？”

我挣扎着坐起来，因为头疼而哼哼唧唧的，但是，谢天谢地，我好像不咳嗽了。*肯定是因为我终于到这里——暗夜学院了*……不过这个想法被外婆的问话打断了。

“等等，我没办法早点告诉你。追踪者今天才到学校里给我烙印。我先回家，本来很希望我妈能理解我支持我。”我停下来，又想起了面对家长那讨厌的一幕，外婆很理解地捏捏我的手。“她和约翰就把我关在房间里，他们要叫精神病医生来，还要开通祈愿信息发布系统。”

外婆做了个鬼脸。

“所以我就爬窗户逃了，直接来找你。”我最后加了一句。

“很高兴你来找我，佐伊小鸟，但是这样完全说不通。”

“我知道，”我叹了口气，“我也无法相信我被烙印了，为什么是我？”

“我不是这个意思，宝贝儿。我不奇怪你被追踪和烙印。里德伯德家族的血统一直都带有很强的魔力，我们中某人被选中也不过是时间的问题。我想说的是，你才被烙印这件事情说不通。你的月牙已经不只是轮廓，已经完全填满了。”

“这不可能！”

“你自己看，u-we-tsi-a-ge-ya。”她用了切罗基语中“女儿”这个词，突然让我想起了那位神秘的古代女神。

外婆伸手从小包中摸出一个银质古董镜盒，那是她一直带着的。她一言不发地把它递给我。我一按金属扣，镜盒打开来，映出我的样子……熟悉的陌生人……是我又不那么像我。

她的眼睛很大，肤色很白，但我只注意到了这些。我特别不敢直视的烙印现在已经是个完整的月牙形吸血鬼刺青，完全被显眼的湛蓝色填满了。我总觉得还在梦中，于是伸出手指沿着异域风格的烙印摩挲，似乎又一次感觉到女神的嘴唇在触碰我。

“这有什么意义吗？”我问，无法从烙印上移开目光。

“我们希望你以后能有答案，佐伊·里德伯德。”

她的声音很迷人。我抬起眼睛来之前就知道她一定很独特而且美得惊人。我猜对了，她像电影明星，像芭比娃娃那么美。我从没见过谁像她这么完美。她大大的圆眼睛是墨绿色的，脸是几近完美的桃心形的，肤如无瑕的凝脂，你在电视上才能看到的那种。她的头发是深红色的——并非令人讨厌的橙红色或退了色的金红，而是一种有光泽的暗赭色，波浪般垂在肩头。她的身材，嗯，完美。她不像那种以学希尔顿·帕丽斯又吐又饿为时髦的怪女孩那么瘦。（“那很热辣。”对，好吧，不管怎么说，那是帕丽斯。）说这个女人身材完美是因为她结实而且富有曲线，胸部很丰满。（希望我也能胸部丰满。）

“哈？”我问。说到胸部，我简直就像一个十足的笨蛋[①]。（笨蛋……嘿嘿。）

这个女人向我微笑，露出了极其整齐洁白的牙齿——不是獠牙。哦，我猜我忘记给她的完美加上一条了，她前额中央有一个规整的天蓝色月牙刺青，从中派生出来的涡旋线条像海浪一般绕过她的双眉，一直延伸到颧骨边。

她是个吸血鬼。

“我是说，关于为什么未转变的吸血鬼新生会有成熟吸血鬼的烙印这个问题，我们希望你能得到解释。”

要不是她的微笑和嗓音中温和的关切，她的话本来有点刺耳。但相反的是，她的话却表现出一点担心和迷惑。

“所以我还不是吸血鬼？”我脱口而出。

她的笑声如音乐一般：“还不是，佐伊，但你已经完整的烙印是非常好的预兆。”

“哦……我……好吧，很好，那很好。”我结结巴巴地说。

谢天谢地，外婆把我从窘困中解救出来。

“佐伊，这位是暗夜学院的大祭司，娜菲丽特。在你……”外婆停顿了一下，明显不想说“失去意识”这个词，“……在你睡着的时

①此处作者用的词是boob，在口语中可指女性胸部，本意是“笨蛋、蠢材”。

候一直细心照顾你。”

“欢迎来到暗夜学院，佐伊·里德伯德！”娜菲丽特热情地说。

我看看外婆又看向娜菲丽特，更加结巴了：“我……我其实不是这个名字。我姓蒙哥马利。”

“是吗？”娜菲丽特说着，扬起她琥珀色的眉毛，“开始新生活的好处之一就是你有机会重新来过——可以选择你从前不能选择的事情。如果你能选择，你会用什么名字呢？”

我毫不犹豫地说：“佐伊·里德伯德。”

“那从现在开始，你就是佐伊·里德伯德了。欢迎开始你的新生活。”她伸出手好像要握手，我自然也伸出了手，但是她却抓住了我的前臂，很奇怪却又觉得应该如此。

她的手温暖而有力，脸上闪耀着欢迎的微笑。她令人惊异也令人敬畏。事实上，她就是吸血鬼的样子，比人类更强壮、敏捷，有智慧。她似乎在内心点燃了一盏明灯，这种描述还真是讽刺。而通常对吸血鬼的成见有（有些我已经证实是完全正确的）：避开日光，在暗夜中力量无穷，靠饮血为生（唉！），他们崇拜夜之化身的女神。

“谢……谢谢你。很高兴见到你。”我说，尽力使自己看起来不那么笨，表现如常。

“我刚刚还和你外婆说，从来没有一个新生像你这般不同寻常地来到这里——失去意识，而且带有完整的烙印。你还记得发生了什么吗，佐伊？”

我想要把我记得的都告诉她——摔倒、撞到头……看见自己像个游魂……跟随古怪的可见的话语进入山洞……最后碰到了女神尼克斯。但我刚要张口就有一种奇怪的感觉，好像有人打了我肚子一下。这很清楚明了，是要叫我闭嘴。

“我……我真的记不清了……”我突然住口，手摸着头上缝针的伤口，“撞到头后就不记得了。我是说，之前的事我还记得。追踪者给我烙印；我告诉家长之后和他们闹翻了；然后就逃到外婆家去了。

我觉得非常不舒服，所以在爬坡去悬崖的时候……”我记得以后的一切，所有的一切，有切罗基人的精灵，跳跃的篝火。闭嘴！这种感觉又向我叫嚣。“我……因为我咳嗽得太厉害，所以我猜我是滑倒了，撞到了头。接下来我就记得里德伯德外婆的歌声，然后就醒了。”我匆匆结束，想避开她的绿眼尖锐的视线，但同样的感觉却命令我安静下来，而且清楚地告诉我要继续保持和她的对视，这样我不得不尽很大的努力才不像隐瞒了什么，虽然我连自己为什么要隐瞒都不知道。

“头部受伤后失去部分记忆是很正常的。”外婆打破了瞬间的寂静，客观地说。

我真想亲她。

“是啊，当然。”娜菲丽特赶紧说，脸上尖锐的表情消失了，“别担心你外孙女的身体，西尔维亚·里德伯德。她很快就会好的。”

她对外婆说话时很尊敬，我心里的紧张多少也缓和了一些。如果她喜欢里德伯德外婆，那说明她是个不错的人，或者应该说不错的吸血鬼什么的，对吧？

“我敢肯定你已经知道，吸血鬼……”娜菲丽特停下来冲我笑笑，“就算是吸血鬼新生，也有非同一般的恢复能力。她愈合得非常好，离开医务室已经完全没问题了。”她看看外婆又看向我，“佐伊，想见见你的新室友吗？”

不想。我把这个念头使劲儿咽下去，点了点头：“想。”

“太好了！”娜菲丽特说。幸好她没注意到我站在那里傻笑的样子活像花园里的小矮人雕塑。

“你确定她不用再留在这里多观察一天？”外婆问。

“我明白你的担心，不过我确定佐伊身体上的伤已经在以快得惊人的速度愈合。”

她又对我微笑一下，我虽然又害怕又紧张，几乎吓蒙了，还是回了她一个微笑。她似乎为我能来这里真心感到高兴。而且，老实说，她让我觉得变成吸血鬼也没那么坏。

“外婆，我很好，真的。我的头现在已经不太疼了，其他地方也很好。”说着我才发觉这都是事实。我已经完全不咳嗽了，肌肉也不酸痛。除了轻微的头疼之外，一切都完好如常。

接下来娜菲丽特做了一件不只让我惊讶，而且几乎让我立刻喜欢上她，甚至开始信任她的事。她走到外婆身边，缓慢而小心地说：

“西尔维亚·里德伯德，我郑重起誓保证你外孙女在这里的安全。每一位新生都配有一位成年导师。为确保我的誓言，我将成为佐伊的导师。现在请放心把她交给我！”

娜菲丽特把拳头放在心脏的位置，正式地向外婆鞠躬。外婆犹豫了一下，终于答应了她：

“我接受你的誓言，娜菲丽特，尼克斯的大祭司。”她做了和娜菲丽特一样的动作，也把拳头放在心口，鞠了一躬，然后紧紧地抱住我，“有事给我打电话，佐伊小鸟，我爱你。”

“我会的，外婆，我也爱你。谢谢你带我来这里。”我呼吸着她身上熟悉的熏衣草气息，轻声说道，尽力忍住不哭。

她在我脸颊上轻吻之后就迈着快速、坚定的步伐走出了房间，让我人生中头一次单独和一个吸血鬼在一起。

“好了，佐伊，准备好开始新生活了吗？”

我抬眼看着她，依然觉得她很不可思议。如果我变成了吸血鬼，会不会像她这么有自信、有力量？或是只有大祭司才会如此？一瞬间我想要是能当大祭司该有多棒啊！然后我的理智又回来了。我只是个孩子，一个迷茫的孩子，绝对不是大祭司的料。我只是想知道怎么适应这里，不过娜菲丽特一定会让我将来的生活没那么难过。

“是的，我准备好了。”我很开心自己的声音比自我感觉更有自信。

第七章　不惯

“几点了？”

我们下到一条弧形的狭窄走廊里。墙壁很奇怪地用暗色的石头和突出的砖块混合砌成。上面没隔多远就闪耀着一盏老式铁艺煤气灯，发出柔和的黄色光芒，幸好，这对我的眼睛来说舒服多了。墙上没有窗户，也没有碰到其他人（虽然我一直紧张地四处张望，希望能看见第一个吸血鬼孩子）。

“快到四点了，也就是说课已经上完将近一个小时了。”娜菲丽特边说边微笑地看着我，我肯定她是因为我那张完全惊呆的脸。

“八点开始上课，三点下课。”她解释道，“老师们会待到三点半，帮学生解决其他问题。体育馆一直开到天亮，确切时间等将来你完成转变之后马上就会知道。在那之前，日出时间会张贴在所有的教室、公共休息室和其他公共场所，包括餐厅、图书馆和体育馆。当然，尼克斯神庙是全天候开放的，不过正式的仪式每周在放学后举行两次。下次仪式就在明天。”娜菲丽特看了我一眼，暖暖一笑，“好像说得有点太多了，不过你很快就会明白的，你的室友和我都会帮你。”

我刚想张口问问题。一个橙色的毛球悄无声息地跑进走廊，钻进娜菲丽特的怀里。我吓了一跳，轻声惊叫一声，才发现这只毛球不是什么会飞的鬼怪，只不过是一只巨大的猫，觉得自己还真是迟钝得彻底。

娜菲丽特大笑起来，挠挠毛球的耳朵：“佐伊，来见见斯盖拉。它总是在这附近乱逛，等着蹿到我身上来。”

“这是我见过的最大的猫。”我边说边伸出手，让它嗅嗅我。

“小心，它出了名地会咬人！”

我还没来得及抽回手，斯盖拉就在我手指上蹭来蹭去，我屏住了呼吸。

娜菲丽特把头偏向一边，仿佛在倾听风中的语言。“它喜欢你，这绝对不寻常。除了我之外它不喜欢任何人，甚至把其他猫都赶出了学校这一角。它就是一个恶霸。”她亲昵地说。

我像娜菲丽特刚刚那样小心地挠挠斯盖拉的耳朵。“我喜欢猫。”我轻柔地说，“以前养过一只，但是我妈再婚之后，我就只好把它放养到野猫中去了。她的新丈夫约翰不喜欢猫。”

“我发现一个人对猫的感觉，以及反过来它们对人的感觉，通常能作为衡量人性格的绝好标准。”

我把目光从猫身上抬起，直视她的绿眸，从中看见她比她说的还要更多地了解奇怪的家庭琐事。这让我觉得和她有了共同点，我的压力自然也放松了一些。“这里有很多猫？”

“对啊。猫通常和吸血鬼有很紧密的联系。”

好吧，其实我已经知道了。上沙杜克斯先生（我们通常叫他泡芙沙杜，可别告诉他）世界史课的时候学过，过去人们曾经因为相信猫会把人变成吸血鬼而屠杀过猫。*是啊，好吧，真是可笑的事情，又是人类愚蠢行为的证据*……这种想法突然蹦进我脑中，我竟然这么容易开始把“普通人”当成“人类”，这很让我震惊，我真是哪里不一样了。

“你觉得我可以养猫吗？”我问。

“如果有一只选择你，你就会属于它。”

“选择我？”

娜菲丽特微笑着抚摸斯盖拉，它闭上眼睛，发出很响的呼噜声。“猫选择我们，我们并不拥有它们。”好像要证实她说的是事实似的，斯盖拉跳出她的怀抱，高傲地甩甩尾巴，消失在走廊里。

娜菲丽特大笑：“它真的很可怕，但是我确实很喜欢它。就算它不是尼克斯给予我赠礼的一部分，我也喜欢它。”

“赠礼？斯盖拉是女神的赠礼？”

“是啊，从某种意义上来说。每位大祭司都会被女神赐予一种亲和力——你可以认为这是一种特殊的能力。这也是我们区分大祭司的方法之一。这种亲和力可能是不太容易被辨认出来的能力，比如读心术、透视、预见未来。亲和力也可能出现在物质领域，比如和四大元素之一或动物有特殊的关系。我有两种女神赐予的天赋，主要的能力是和猫的关系，我和它们之间的联系在吸血鬼之中也是少见的。尼克斯也赐予我罕见的治愈能力。”她微微一笑，“这就是为什么我知道你痊愈得很好——我的天赋告诉我的。”

“哇，真是神奇！”我只说得出这句话，这天发生的事情让我头晕目眩。

“来吧，我带你去你的房间。你肯定又饿又累，晚餐要在……”娜菲丽特把头偏向一边，好像有人低声告诉她时间一般。“……一个小时之后开始。”她了然一笑说，“吸血鬼总是知道时间。”

“也很酷。”

“我亲爱的新生，这只是冰山一角而已。”

我希望她这个类比和造成“泰坦尼克”号灾难的冰山没什么关系。我们继续沿走廊向前走，我考虑着时间问题和其他杂事，想起之前要问的问题，我的思路被斯盖拉轻易就打断了。

“这样的话，等等，你说八点开始上课，是晚上？”好吧，我通常没那么迟钝，但她说的有些话简直像外语一样难懂，我已经开始难以适应了。

“要是仔细想想你就会明白在晚上上课是必然的，当然你肯定已经知道，吸血鬼，不论成年还是新生，如果直接接触阳光，都不会爆炸或像其他虚构的鬼话一样。但也确实让我们不舒服。白天的阳光是不是已经让你难以忍受了？”

我点头。“我的毛伊·吉姆也不太管用。”然后我又像个傻子一样很快加了一句，“毛伊·吉姆是太阳镜。”

“佐伊，”娜菲丽特耐心地说，“我知道太阳镜，事实上，知道得非常清楚。”

“哦，上帝啊，对不起，我……”我停下来，不知道说“上帝”是不是合适，会不会冒犯娜菲丽特作为女神大祭司的骄傲。该死，会不会冒犯尼克斯？哦，天哪，那要是说“地狱”呢？那是我的口头禅（好吧，我通常说的脏话也就这个了）。我还能说吗？信徒们鼓吹吸血鬼崇拜错误的女神，他们是自私、黑暗的生物，只关心金钱、享乐和饮血，他们肯定会直接下地狱，所以说以后我是不是该注意措辞了……

“佐伊。”

我发现娜菲丽特正端详着我，一脸担心的表情，我脑子里想乱七八糟东西的时候她可能一直在叫我。

“对不起。”我重复了一遍。

娜菲丽特停下脚步，双手搭在我肩上，让我面向她。

“佐伊，不要道歉。记住，这里的每个人都是像你一样走过来的，这里对我们每一个人来说都曾经是新的。我们知道这种感觉——对转变的恐惧——震惊于生活开始变得陌生。”

“而且完全无法控制。”我轻轻加了一句。

“这也是一点。不过不一定都那么糟。当你成为成熟的吸血鬼，你的生活又会回到你的掌控之中。你可以自己做主，走自己的路，让你的心、灵魂和才智引导你的路。”

“如果我变成成熟的吸血鬼。”

“你会的，佐伊。”

“怎么能这么肯定？”

娜菲丽特看着我额前的黑暗烙印说：“尼克斯选中了你。因为什么，我们不得而知。但你的烙印已经清晰地出现。要是她觉得你会失败，就不会碰你了。”

我想起了女神的话，*佐伊·里德伯德，夜的女儿，你将作为我在现世中的耳目，代我观察这个在善与恶的斗争中寻找平衡的世界。*我赶忙逃开娜菲丽特锐利的视线，非常希望知道为什么我的内心深处要让我把与女神的会面保密。

“只是……只是今天发生的事情太多了。”

“当然，尤其是饿着肚子的时候。”

我们继续行进，突然间手机的铃声吓了我一跳。娜菲丽特叹了口气，抱歉地冲我笑笑，从口袋里摸出手机。

“我是娜菲丽特。”她答道，听了一会儿之后，我看见她眉头一皱，眯起眼睛，“不会，你打给我是正确的，我马上回来看看她。”她挂断电话之后说：“对不起，佐伊，一个新生今天早些时候腿断了。好像她没办法休息，我得回去看看她怎么样。你沿着走廊向左走，到大门去好不好？很好认——很大的门，老木头制的，门外有个石长椅，你可以在那里等我，不会太久的。”

“好的，没问题。”我还没说完，娜菲丽特已经一阵风似的消失在走廊里了。我叹了口气，我可不喜欢一个人待在全是吸血鬼和吸血鬼孩子的地方。娜菲丽特走后，走廊里的灯火看上去也不那么友好了，一盏盏灯火在古老的石头走廊里投下奇怪的鬼影。

我决定不再自己吓自己，慢慢沿着之前的方向走。很快我甚至希望能碰见其他人（就是吸血鬼也行）。这里太安静了，令人毛骨悚然。路上有几个岔口，不过娜菲丽特告诉要沿左边走。其实我也一直盯着左边，因为通往右边的走廊几乎都没有灯。

不幸的是，在下一个右转的走廊我没管住自己的眼睛。好吧，是有理由的。我听到有声音，确切地说，是笑声。轻柔的女孩子的笑声，但莫名地让我背后汗毛直竖。我停下脚步，向通道里张望，以为看到了黑影在移动。

“佐伊……”黑影中有人在轻声叫着我的名字。

我惊奇地眨眨眼。是真的听到了我的名字或只是我的幻想。这声音有点熟，会不会还是尼克斯？女神又在叫我的名字？我半害怕半好奇地屏住呼吸，向右边的走廊挪了几步。

我沿着弧度不大的转弯处走着，看见前头有什么东西让我止步，不由自主地挪到墙边。不远，在墙壁的凹处有两个人影。一开始我不知道自己看见的是什么，但突然间就明白了。

我应该离开这里，应该轻轻走开，尽力不去想我看见了什么。但是我什么也没做，我的脚仿佛突然变得很重，完全无法移动，只好就这么看着。

那男人——我又有点惊诧地发现他只是个少年——最多比我大一岁。他背靠墙壁凹处站着，头向后倾，呼吸粗重。他的脸藏在阴影中，但即使是这么不清楚，我也看出他很帅。另一个轻笑声让我不禁向下看去。

她跪在他面前，只能看出她是金发。看上去她似乎戴着某种古代的面纱，她在对男孩无限温存。

*走！*我头脑中叫喊着。*离开这儿！*我刚想后退，那男孩的声音让我一僵。

“别动！”

我瞪大双眼，有那么一瞬间我觉得他是在和我说话。

“你才不想让我住手。”

她说话的声音几乎让我松了一口气，有点晕晕的。他在和她说话，不是和我。他们不知道我在这儿。

“我要你住手。”听起来他似乎是从牙缝里挤出这句话，“站起来。”

“你喜欢我这样——你知道你喜欢，就像你知道你还需要我一样。”

她嗓音低沉，尽力变得性感，但是我听出来那里面还包含着哀怨。听起来她几乎绝望了。我看见她手指移动，食指的指甲向他腿上划去。不敢相信她的指甲竟然穿透了他的牛仔裤，像小刀一般，划出了一道血痕，渗出一片殷红。

这场景让我觉得恶心，我虽然不想，但看见血不禁让我流出了口水。

“不！”他厉声说，一边用手推她的肩膀，想把她推开。

“哦，真会装，”她又笑起来，发出讽刺挖苦的笑声，“你知道我们一直在一起。”她伸出舌头舔那道血痕。

我战栗了一下，和我的意志相反，我完全入迷了。

“住手！”他还推着她肩头，“我不想伤你，但是你开始惹毛我了。你怎么就不明白呢？我们别再这样了！我不需要你。”

“你需要我！你一直都需要我！”她扯坏了他的裤子。

我不该在这儿，不该看见这些。我从他流血的腿上转移开视线，后退了一步。

那男孩抬眼，他看见我了。

然后真正奇怪的事情发生了，我感觉到我们目光相遇，我无法移开视线。他面前的女孩似乎消失了，走廊里只剩下他和我以及甜美的血的味道。

“你不需要我？看上去不像啊！”她恶毒地轻声说道。

我觉得晕头转向。这时他大叫：“不！”他想把她推开，好走到我这边来。

我强收回视线，脚下却绊了一下。

“不！”他又说。这次我知道他是在向我说。她肯定也意识到了，发出野兽般刺耳的吼叫声，转过身去。我的身体能动了，立刻就转身跑回原来的走廊。

我以为他们会来追我，所以一直跑到了娜菲丽特说的大门。站在那里，靠着冰冷的木头，尽力把呼吸平稳下来，这样才能听到跑来的脚步声。

要是他们追来了怎么办？我的头又开始疼了，我觉得自己很虚弱，完全吓坏了，而且觉得非常难受。

我明白整件事情。我怀疑当今美国的青少年还没意识到大人们认为我们做事就像嚼口香糖那么随便（或者确切地说是“上瘾”）。好吧，全是胡说，一直让我很生气。当然有的女孩觉得这很“酷”，啊，她们错了，凡是有点脑子的都不会觉得“酷”是用在这里的。

好吧，我只是知道这种事情，但绝对没见过。所以刚刚看到的事情真是让我崩溃。但更让我崩溃的并非金发女孩对男孩做的事情，而是我看见血之后的反应。

我也想舔。

这可不正常。

整件事情中我奇怪的表情全都落入他眼中了。该怎么办？

“佐伊，你还好吧？”

“啊！”我吓了一跳。娜菲丽特站在我身后，非常迷惑地看着我。

“你觉得不舒服吗？”

“我……我……”我脑子里挣扎着，绝对不能把刚刚看到的事情告诉她。“我的头刚刚很疼。”我最终这么说，这倒是真的，我头疼得要命。

她担心地皱起眉头：“我帮你。”娜菲丽特把手轻轻放在我头上缝针的地方。她闭上眼睛，轻声说着一种我不懂的语言。之后我感觉到她的手变得温暖，仿佛这种温暖变成了液体，被我的皮肤吸收了。

我闭眼，放松地舒了口气，头上的疼痛开始退去了。

“好点了？”

“是的。”我简单地轻声回答。

她拿开手，我随即睁开眼睛：“应该会止痛的。不知道为什么突然会有这么大反弹。”

“我也不知道，不过现在不疼了。”我轻声说。

她又默默地打量了我一会儿，我屏住了呼吸。然后她说：“有什么事让你烦恼吗？”

我咽下一口气：“我有点害怕见到新室友。”这倒不是在撒谎。虽然没那么让我烦恼，但我确实害怕。

娜菲丽特和善地笑笑：“一切都会好的，佐伊，现在让我给你介绍一下你的新生活吧！”

娜菲丽特打开厚重的大木门，我们走进学校前面一个很大的庭院。她站到一边，让我四处观望。青少年三三两两地穿过庭院和人行道，他们的制服很酷也很独特，不过看起来都很类似。在他们的笑声和说话声中，声音听起来貌似正常。我一会儿看看学校，一会儿看看学生，不知道该先看什么，不过还是选择先看学校。看上去没有那两个人恐怖（我被他们吓到了）。这地方完全不可怕。现在是半夜，应该非常幽暗，但在覆盖学校的巨大老橡树上方，却有一轮明亮的月亮在闪耀。两旁固定着一座座退色铜质煤气灯的人行道通往巨大的红砖和黑石结构建筑。这座建筑有三层楼高，有个特别突出的奇怪的高屋顶，最高处却是平的。楼里厚重的帷幔都拉开了，里面透出的柔和的黄色光芒让房间里的阴影上下闪烁，给整座建筑带来些活力和欢迎的味道。一座圆形的塔楼连通主楼前面，让学校看起来更像是一座城堡。我发誓，比起楼外环绕着的一圈厚厚的杜鹃花丛和整齐的草地，护城河会更适合这里。

主楼对面有一座小一些的建筑，更古老，看起来像教堂。在这座建筑和覆盖学校的老橡树后面，能看见环绕整个学校的高大石头围墙的影子。教堂似的建筑前面矗立着一座大理石女性雕像，穿着飘逸的长袍。

“尼克斯！”我脱口而出。

娜菲丽特惊讶地抬起一边眉毛：“没错，佐伊。那是女神像，后面就是她的神庙。”她示意我和她沿着人行道向前走，一边举手指点我们面前这座雄伟的校园，“今天我们叫做暗夜学院的地方是以新法兰西—诺曼风格建造的，石料都是从欧洲进口的。在二十世纪二十年代中期，最早是信徒们建立的奥古斯丁修道院。后来变成了卡斯西亚厅，一所为富家子弟设立的私立预备学校。五年前，当我们决定在这里开设一所我们自己的学校之后，把卡斯西亚厅买了下来。”

我还模糊记得以前那所神气活现的私立学校——其实我记得这里的原因是听过一则新闻，在卡斯西亚厅上学的一群孩子被发现吸烟，大人们非常震惊。不管怎么说，其他人对大多数富家子弟吸烟却并不惊诧。

“他们竟然卖给你们了。”我心不在焉地说。

她有点危险地微微一笑：“他们不想卖，但是我们跟那个傲慢的校长提出了一项他无法拒绝的交易。”

我本来想问她到底是什么意思，但她的笑声让我一阵寒战。而且，我也很忙，忙着到处看。我最先注意到的是每个有吸血鬼刺青的人都非常好看。我是说，这完全不合理。对，我知道吸血鬼们都很有魅力。每个人都知道。世界上最成功的演员们是吸血鬼。舞蹈家、音乐家、作家和歌手里也一样。吸血鬼统领着艺术界，也是他们有那么多钱的原因之一——也是信徒认为他们自私、不道德的（很多）原因之一。*但其实，他们就是嫉妒他们的外貌*。信徒们可以去欣赏他们的电影、戏剧、音乐会，买他们的书或艺术品，但同时却议论他们、看不起他们，天知道他们从来没接触过他们。嗨——这还不叫虚伪？

无论如何，被这么多美女帅哥包围，简直让我想钻地洞，就算他们中的很多人向娜菲丽特问好的时候也冲我微笑招呼。我一边犹豫着回礼，一边偷看从我们身边走过的孩子们。他们都很尊敬地向娜菲丽特点头示意。少数还正式地向她鞠躬，双拳在心口交叉，娜菲丽特也微笑着轻轻躬身回礼。好吧，孩子们没有大人那么漂亮。当然，他们也很好看——其实很好玩，他们的月牙形烙印轮廓衬得他们的制服看起来更像是时装设计，而非校服——但他们并不像成年吸血鬼那样从里到外散发出吸引人的冷酷光芒。啊，我还注意到了，正如我之前猜测的一般，他们的制服基本都是黑色的（你没准儿想在一群站在艺术界巅峰中的人中辨认出一个穿着无聊的黑色哥特衣服的人。我只是说说……）。但是要我老实说的话，我得承认他们穿起来很好看——黑色间夹着深紫、藏蓝、鲜绿组成的细微彩格。每件制服都在外套的胸袋或臂袋上绣着华丽的金银线的图案。有些图案是一样的，但我看不出具体是什么图案。另外很奇怪的一点就是好多孩子留着长发。女孩留长发，男孩留长发，老师留长发，甚至不时从人行道上蹿过的猫也是长毛的。幸好上周我没跟凯拉一样把头发剪成可笑的短发。

我还注意到成年人和孩子有一个共同点——他们的眼中都明显包含着对我头上烙印的好奇。很好。我从一个异类开始我的新生活了，真是很让人不快。

第八章　室友

暗夜学院的宿舍在校园里很远的地方，所以我们走了好长一段路，娜菲丽特似乎有意走得慢些，让我有足够的时间问问题和东张西望。这我倒不很在意。沿着城堡一样散落的建筑走着，娜菲丽特随时给我介绍细节，让我大致了解一下环境。有点奇怪，不过也是不错的方式。另外，散步让我感觉正常。事实上，正如字面意思所说，我又有自己的感觉了。我不咳嗽，身体不酸痛，头都不疼了。我已经完全不再想刚刚偶然碰到的那恼人的一幕了。我已经忘了——故意的。除了新生活和奇怪的烙印之外，我不想再处理多余的任何事情了。所以，就把那档子事忘了吧。

心底深深的拒绝感告诉自己，要不是凌晨时分我正在跟一个吸血鬼在校园里散步，我几乎可以装做今天和昨天一样，几乎。

啊，好吧！也许算不上几乎，但我的头确实感觉好多了，当娜菲丽特终于推开女生宿舍的门时，我已经准备好面对我的室友了。

室内让我吃了一惊。我也不知道自己在期待什么——也许所有的东西都是黑色的，令人毛骨悚然。但这里很好，用水绿色和黄色的大理石装饰，有舒服的沙发，还散布着几个大得足够坐上去的蓬松枕头，活像巨型的M&Ms巧克力豆。几座古董枝形吊灯发出柔和的灯光，把这里照得像公主的城堡。乳白色的墙壁上挂着大幅的油画，画的全都是强大而有异国情调的古代女性。新鲜的花朵，大多数都是玫瑰，插在桌子一边的水晶花瓶里。桌面堆满了书、小包和看起来非常正常的年轻女孩用的东西。屋子里还有几台平板电视，我听出其中一台正在放MTV台的《真实世界》栏目。我很快反应过来，想尽力对屋里的女孩们微笑，表现得友好，她们自打我一进来就立刻鸦雀无声地盯着我。啊，错了，她们其实盯着的不是我，而是我额前的烙印。

“女士们，这位是佐伊·里德伯德。来向她打个招呼，欢迎她来到暗夜学院。”

一开始我以为没人打算和我说话，我简直丢脸得想死。一个女孩从围着一台电视的人群中间站起来。她是个小个子的金发女孩，见鬼，她几近完美。事实上，她让我想起了年幼时候的莎拉·杰西卡·帕克[①]（顺便提一句，我不喜欢她——她太……太……讨厌又做作）。

“嗨，佐伊！欢迎来到你的新家！”这个长得像莎拉·杰西卡·帕克的女孩的微笑是温暖而真诚的，她和我目光相遇，而非只顾盯着我的烙印看。我马上就为刚刚拿她作的不好比较而后悔了。“我叫阿芙洛狄忒[②]。”她说。

阿芙洛狄忒？好吧，也许我的比较并不算太仓促。拜托，正常人怎么会用阿芙洛狄忒做名字？真有些装腔作势！我挤出一个微笑，欢快地说：“嗨，阿芙洛狄忒！”

“娜菲丽特，要不要我带佐伊去她的房间？”

---

①莎拉·杰西卡·帕克（Sarah Jessica Parker）：美国影星，以主演《欲望都市》出名。

②阿芙洛狄忒（Aphrodite）：希腊神话中爱与美的女神。

娜菲丽特犹豫了，这很奇怪。她没有马上回答，只是站在那里，盯着阿芙洛狄忒。但一眨眼的工夫，娜菲丽特脸上就露出了灿烂的笑容。

“谢谢，阿芙洛狄忒，那太好了。虽然我是佐伊的导师，但是我肯定如果同龄人带她去房间，她肯定更自在一些。”

阿芙洛狄忒是不是闪过了一丝怒意？不会，肯定是我乱想的——或者至少在我诡异的内在感觉告诉我别的之前，我宁愿相信我是乱想的。而且也不需要我的新直觉提示我什么是错的，因为阿芙洛狄忒笑了——我听出了她的声音。

我的胃又像被人打了一拳，我意识到这个女孩——阿芙洛狄忒——就是我在走廊看见的那个!

阿芙洛狄忒笑了，紧接着装腔作势地说：“我当然很乐意带她四处转转！你知道我一直很愿意帮助你，娜菲丽特。”假得像帕米拉·安德森[①]的波霸，但娜菲丽特只是点点头作为回应，然后转向我。

“那我先走了，佐伊。”娜菲丽特说着捏捏我的肩膀，“阿芙洛狄忒会带你去房间，你的新室友会帮你作晚餐的准备。一会儿在餐厅见。”她母亲般温暖地冲我一笑，我有股孩子气的可笑冲动，想去抱抱她，求她别把我单独扔给阿芙洛狄忒。“你没问题的。”她仿佛能看懂我的意识一般说，“没事的，佐伊小鸟，一切都会好的。”她说话很轻，感觉很像我外婆，我用力眨眨眼才忍住没有哭。她点头向阿芙洛狄忒和其他女孩示意再见之后就离开了宿舍。

门关上的时候发出沉闷的声音。哦，该死，我想回家!

“来吧，佐伊，房间在这边。”阿芙洛狄忒边说边示意我跟她走上右边弧形的宽楼梯。上楼时我尽量不注意在我们身后立刻迸发出来

①帕米拉·安德森（Pamela Anderson）：美国影星，主演过《海岸警卫队》等剧，十二次荣登《花花公子》封面。

的嗡嗡声。

我们两个都没说话，我觉得很不舒服，想要尖叫。她在走廊上有没有看到我逃走？好吧，该死，我再也不想提了，永远。我真希望这事从来没发生过。

我清清嗓子说：“宿舍看起来不错。我是说，很漂亮。”

她瞥了我一眼：“岂止是不错或漂亮，简直就是绝妙。”

“哦，啊，说来听听！”

她大笑起来，笑声让人非常难受——几乎是讥笑——就像头一次听到一样让我汗毛直竖。

“说这里绝妙主要是因为有我。”

我看了她一眼，心想她肯定在开玩笑，然后又对上了她冷冷的蓝眼睛。

“对，你听得没错。我很酷，所以这里很酷。”

哦，天哪！她说的话也太古怪了。我不知道该怎么回应这段自命不凡的话。我是说，我需不需要在生活、种族、学校都变化的压力之上再加上和这位唯我独尊女士斗争的压力？我仍然不清楚她知不知道是我在走廊看见了她。

好吧，我只是想找个能适应的方法。我希望能把这所新学校当做家。所以我决定采取最安全的办法，就是什么都不说。

我们没有再说话。楼梯通向宽敞的过道，边上是一排门。当阿芙洛狄忒在一扇漆成漂亮浅紫色的门前停下时，我屏住了呼吸。但是她却没有敲门，而是把脸转向我。她完美的脸上突然间变得冷酷，充满仇恨，也不漂亮了。

“好吧，我们谈谈，佐伊。你有这么一个奇怪的烙印，所以现在所有人都在谈论你，想知道你该死的到底怎么了。”她转转眼珠，突然间捏住嗓子，声音变得又傻又激动，“噢！新来的女孩有满色的烙印！那到底是什么意思？她很特殊？她是不是有奇特的能力？哦天哪……哦天哪！”她把手从脖子上放下来，冲我皱起眉，声音像她的眼神一样平板又刻薄，“这里就是这里。我就代表这里。一切都照我的意思来，你要在这儿待下去，最好记住。不然的话，有你好果子吃！”

好吧，她开始把我惹火了。“你瞧，”我说，“我刚来，不是为了找麻烦的，而且我也控制不了别人对我的烙印怎么说。”

她眯起眼睛。啊，狗屁！我真的非要和她对着干？我这辈子还从来没和谁打过架！我的胃又开始扭痛起来，我准备弯腰或者逃跑之类，省得被打。

然后，她脸上吓人和仇恨的表情瞬间消失了，她放松地一笑，又变回了甜美的金发小女孩（我真不敢相信）。

“很好，这样我们就达成共识了。”

哈？我明白她已经把她的虚伪面具扔了，但仅此而已。

阿芙洛狄忒没给我说任何话的时间，她最后一边怪怪地亲切一笑，一边敲了敲门。

“进来吧！”一个俄克拉何马腔的傲慢声音叫道。

阿芙洛狄忒打开门。

“嗨，你们好，哦天哪，快进来！”我那一头金发的新室友露出大大的灿烂笑容，像一阵小龙卷风一样匆匆赶来，但她一看见阿芙洛狄忒，脸上的笑容就僵住了，脚步也慢下来。

“我把你的新室友带来了。”阿芙洛狄忒的话本身没什么不对，但语气却充满仇恨。接着，她装成一副蹩脚的假俄克拉何马州口音说：“斯蒂芬·雷·约翰逊，这位是佐伊·里德伯德。佐伊·里德伯德，这位是斯蒂芬·雷·约翰逊。现在，我们是不是一条绳上的蚂蚱了？”

我瞥了一眼斯蒂芬·雷，她简直像只被吓坏了的小白兔。

“谢谢你带我来这儿，阿芙洛狄忒。”我一边快速地说，一边转向她，而她不自觉地后退，正好又退到了走廊上。“一会儿见。”我当着她的面关上门，眼见她惊诧的表情刚要转为愤怒。之后我才转向斯蒂芬·雷，她的脸色还没缓过来。

“她怎么了？”我问。

“她是……她是……”

虽然我完全不认识她，但我也看出她在犹豫着该不该说。所以我决定帮帮她，我的意思是，我们要成为伙伴。

“她是个浑蛋！”我说。

斯蒂芬·雷瞪圆了眼睛，然后笑出声来：“她不怎么样，这倒是真的。”

“她该吃药了，这倒是真的。”我加了一句，让她笑得更厉害了。

“我觉得咱们会相处得不错，佐伊·里德伯德。”她笑着说，“欢迎来到新家！”她踱了一步，胳膊一挥，指向这间小房间，仿佛要把我引进一座宫殿一般。

我环视四周，眨了好几次眼，首先看到的是一张真人大小的肯尼·切斯尼[①]的海报贴在其中一张床上方，一顶牛仔（女牛仔？）帽搁在其中一个床头柜上——上面也有一盏底座像牛仔靴的老式煤气灯。哦，噢啊，斯蒂芬·雷是个地道的俄克拉何马人。

她突然给了我一个大大的欢迎拥抱，她的短鬈发和微笑的圆脸都让我觉得像可爱的小狗。“佐伊，看见你好些我很高兴！我听说你受伤的时候可担心了。我很高兴你终于来了。”

“谢谢。”我说，一边还四处打量着我的这间房，感觉自己快忍不住要哭出来了。

“有点害怕，是不是？”斯蒂芬·雷蓝色的眼睛严肃地看着我，双眼充盈着同情的泪水。因为信不过自己的声音，我只好点点头。

“我知道，我刚来的头一晚一直在哭。”

我把眼泪咽下去，问道：“你来多久了？”

---

①肯尼·切斯尼（Kenny Chesney）：美国乡村音乐歌星。

"三个月。天哪，他们告诉我要来一个室友的时候我可高兴了！"

"你知道我要来？"

她活泼地点点头。"嗯，是呀！娜菲丽特前天告诉我，追踪者已经感知到了你，正要去给你烙印。我以为你昨天会到，但是听说你出了点事被带到卫生室去了。发生什么了？"

我耸耸肩说："我在去找我外婆的路上摔了一跤，撞到了头。"没有奇怪的感觉让我别说，但我也不知道我该告诉她多少。她点点头，好像明白了，也没再追问那场事故或是我满色的烙印，这让我松了口气。

"你被烙印之后，父母的反应奇怪吗？"

"彻底变脸。你呢？"

"其实我妈妈还好，她说只要能把我弄出亨利埃塔，什么都好。"

"亨利埃塔，俄克拉何马州的吗？"我问，非常高兴转移到了我以外的话题上。

"很不幸，正是。"

斯蒂芬·雷一屁股坐在上方贴着肯尼·切斯尼海报的床上，示意我坐在她对面的床上。我坐下了，惊喜地发现自己坐在我从家里带来的桃红和绿色相间的拉夫·劳伦[①]羊毛围巾上。我看着橡木制的小床头柜，眨眨眼，那是我讨厌的、难看的闹钟，不想戴隐形眼镜时替换的书呆子眼镜，还有上个暑假我和外婆的照片。电脑后面的书架上靠我的这一侧，我看见了我的《绯闻女孩》还有其他一系列书（其中有一些最喜欢的书，包括布拉姆·斯托克的《德库拉》——简直是讽刺），几张CD，我的笔记本电脑，还有——*哦，我亲爱的主啊*——《怪物公司》的玩偶塑像。*简直太尴尬啦！*我的背包就放在床边的地上。

"你外婆把你的东西拿来了，她真好。"斯蒂芬·雷说。

"她岂止是好。她为了我去向我妈妈和她的白痴丈夫要来这些东

---

①拉夫·劳伦（Ralph Lauren）：美国著名时装品牌，以美国特色和Polo衫著称。

西。我都不敢想象我妈会弄成什么样夸张的场面。”我叹了口气，又摇了摇头。

“呀，我猜我还算幸运。至少我妈妈还算冷静。”她指指自己额前月牙的轮廓，“我爸爸彻底疯了，我一直都只能是他的‘小姑娘’。”她耸耸肩，又笑了，“我的三个弟弟觉得超级棒，还想让我帮他们也弄成吸血鬼新生。”她转转眼珠，“笨蛋男孩子们。”

“笨蛋男孩子们。”我笑着重复了一遍。要是她也这么想，我们准合得来。

“现在我基本上都还好。我是说，课程很奇怪，但是我喜欢，特别是跆拳道。我喜欢踢腿。”她淘气地咧嘴一笑，像个金发小精灵，“我喜欢制服，刚开始真的很让我吃惊。我是说：谁会去喜欢校服？但是我们可以往制服上加装饰，弄得独一无二，又不像那种自命不凡、无聊的校服。这里也有一些非常火的家伙——虽然男孩子们都很蠢。”她眼睛闪了闪，“最主要还是因为能走出亨利埃塔我真是太高兴了，我不在乎其他事了。虽然塔尔萨有点大得吓人。”

“塔尔萨可不吓人！”我不由自主地说。和其他从断箭郊区来的孩子不一样，我认识塔尔萨周围的路，多亏了和外婆一起“实地考察”。“只要知道你想去哪儿。城里布兰迪街上有个珠宝艺术馆，在那里你可以自己做首饰；旁边鲍厄里街上有罗拉的店——那是城里最好的甜品店。樱桃街也很好玩，我们现在离那边不远。其实，我们就在非常棒的菲力布鲁克博物馆和尤蒂卡广场旁边，周围有不少很好的商店，还有……”

我突然意识到自己在说什么。吸血鬼孩子和普通孩子会交往吗？我在记忆中搜寻了一圈，从来也没见过带着月牙轮廓的孩子在菲力布鲁克、尤蒂卡的GAP[①]店、香蕉共和国[②]店或星巴克闲逛。也没见过他

---

①GAP：美国著名休闲装品牌。

②香蕉共和国（Banana Republic）：GAP下属品牌，以青少年为主要消费群体。

们去看电影。见鬼！今天以前我就从来没见过吸血鬼孩子。那么他们会不会把我们关上四年？我觉得有点幽闭恐惧症发作，喘不上气来，于是我问："我们可以出去吗？"

"可以啊，就是必须遵守各种各样的规则。"

"规则？比如说什么？"

"比如，你不可以穿任何一件校服……"她突然停下来，"哎呀！这倒提醒我了。我们要抓紧了，晚餐还有几分钟就开始。你得换衣服。"她跳起来，在我这边的衣柜里翻找，一边还头也不抬地和我聊天，"娜菲丽特昨晚叫人送了几件衣服过来。不用担心大小的问题。他们不用见到我们也能知道尺寸——真不知道成年吸血鬼怎么能知道那么多。总之，别害怕！我之前说过，制服没你想得那么糟。你完全可以自己加东西上去——就像我。"

我看着她，没错，就是看着她。她穿着一条地道的传统牛仔裤。你知道，现在的孩子喜欢穿那种非常紧而且没有后口袋的牛仔裤。怎么会有人觉得没有后袋还那么紧的裤子好看，我一直都不能理解。斯蒂芬·雷瘦得皮包骨，而她身上的牛仔裤让她的屁股看起来宽一点。我早就猜到她穿着什么鞋——牛仔皮靴。我瞥了一眼她的脚，叹了口气。没错，棕色、平跟、尖头的牛仔皮靴。她穿着一件黑色长袖棉制衬衫，下摆塞进乡土气息的牛仔裤里。这件衬衫像是那种萨克斯或内曼·马库斯[①]卖的高档品，不像阿伯克隆比[②]那种以虚高的价钱来以次充好的衬衫。她回头看我的时候，我发现她两边耳朵都打了耳洞，戴着小银环。她转过身，一只手举着一件类似她身上穿着的黑衬衫，另一只手举着一件套头毛衣。我觉得虽然乡土打扮不适合我，但是她身上乡村和高档的混搭还是很可爱的。

---

①萨克斯（Saks）和内曼·马库斯（Neiman Marcus），均是美国的奢侈品零售商。

②阿伯克隆比（Abercrombie）：美国青少年流行服装品牌。

“给你！配你的牛仔裤穿一切就搞定了。”

在牛仔靴底座的台灯照耀下，我发现她拿的毛衣胸口部位绣着一个银色的图案。我起身接过来，把毛衣举高好仔细看清楚。在心脏的位置用银线绣着一个精致的环形，一个闪闪发亮的螺旋绕环形好几圈。

“这是我们的标志。”斯蒂芬·雷说。

“我们的标志？”

“对，每个班——这里是叫三年级、四年级、五年级和六年级的——都有自己的标志。我们是三年级，所以我们的标志是尼克斯女神的银色迷宫。”

“这是什么意思？”我问道。手指沿着银色的螺旋游走，与其说是问她，不如说是在问我自己。

“代表我们在暗夜的道路上全新开始，不断学习女神的方法和新生活的各种可能性。”

她的声音突然变得很严肃，我惊奇地抬起头来看着她。她腼腆一笑，耸耸肩。“这是《吸血鬼社会学基础》中首先要学到的东西。娜菲丽特教这门课。比我在亨利埃塔高中上的无聊课好多了。那学校简直是斗鸡的老巢，呃，斗鸡！竟然用这种动物当吉祥物！”听见我大笑，她摇摇头，转转眼珠，“对了，听说娜菲丽特是你的导师，那可真幸运！她几乎不带新人的，要不是做大祭司，她就是这里最好的老师。”

她没说出口的其实不是我幸运，而是我“特殊”的有着满色的烙印。这倒提醒我了……

“斯蒂芬·雷，为什么你不问我的烙印？我是说，我很感谢你没有用无数问题来轰炸我，但是这里所有看见我的人都盯着我的烙印。阿芙洛狄忒提了差不多两遍说这很特殊。而你甚至都没好好看过。为什么？”

她终于仔细看着我的前额，然后耸耸肩，看着我的眼睛：“你是我的室友。我猜等你准备好之后会告诉我怎么回事的。在亨利埃塔这种小镇长大教会我一件事，如果你想让别人还做你的朋友，就不要多管闲事。嗯，我们要共处一室四年……”她停住了，隐含着一个重大的丑陋的事实，我们俩只有都在转变中活下来，才可能做四年的室友。斯蒂芬·雷艰难地把这些话咽了下去，匆匆地说：“我其实想说的是，我想咱俩做朋友。”

我冲她微笑。她看上去那么年轻、充满希望——那么善良而普通，完全不是我想象中吸血鬼孩子的样子。我感觉到了一线希望。没准儿我可以找到适应这里的方式。“我也想和你做朋友。”

“太好了！”我发誓她又看起来像只扭动着的小狗，“但是来吧！快点——咱们可别迟到。”

她把我推向两个衣柜中间的一扇门，然后自己坐在电脑桌旁的穿衣镜前开始梳头。我打开门，里面是一个小卫生间。我很快脱掉身上的断箭虎队T恤，换上棉衬衫，再套上丝线编织的毛衣。毛衣是深紫色底配黑线的彩格。我回房间抓过背包，找出我的化妆用具，对着洗手池上方的镜子开始整饬我的脸和头发。我的脸还很白，但之前惊恐、不健康的苍白已经消失。我的头发蓬乱不堪，使我看起来像个疯子，而且还大致能看见左边太阳穴上的一道细细的暗色缝合痕迹。但蔚蓝色的烙印吸引了我的注意。我不由得对这种异国情调的美丽人迷了。卫生间的灯光照在胸口银色的迷宫刺绣上。我觉得这两个标记有点相配，虽然形状不同……颜色也不同……

但我配得上它们吗？我能配得上这个陌生的新世界吗？

我使劲儿闭上眼睛，拼命地想我们晚餐会吃什么（哦，拜托千万别和喝血有任何关系），不理会我已经焦虑得肠胃纠结在一块。

“哦，不……”我轻声自言自语道，“只要不拉肚子就算是幸运了。”

第九章　帮派

好吧，学校食堂很棒——噢，我是说“餐厅”，入口处银色的牌子上这么写的。比起以前高中那个冰冷巨大的食堂完全不一样，原来的食堂吵死了，即使我和凯拉坐在一起，也有一半时间听不见她的唠叨。而这里既温暖又友好。墙壁和进入学校的走廊一样是用砖和黑色石头砌成，室内满是厚重的木餐桌，配套的长椅上座位和靠背上都带有衬垫。每张桌子大约坐了六个孩子。餐厅中间有一张大大的桌子，摆满了水果、奶酪和肉类，一只水晶高脚杯盛着像是红酒的液体（哈？学校里喝酒？什么？）。天花板很低，后墙完全由玻璃窗构成，中间有一道玻璃门。厚重的深红色帷幔并没有拉上，所以我能看见外面是一座美丽的小庭院，有石头长椅、曲折小径、观赏用灌木和花朵。庭院中间有一座大理石喷泉，从中间像一颗菠萝一样的雕塑中喷涌而出。在月光和几盏古董煤气灯的照耀下，庭院非常美。

大多数的餐桌上已经坐满了边吃边聊的孩子，当我和斯蒂芬·雷走进来的时候，他们都非常好奇地看着我们。我深吸口气，把头抬起。他们看清我的烙印之后似乎看得更入迷了。斯蒂芬·雷带我到餐厅边上，那边有典型的自助餐厅式玻璃柜台，台后是食物。

“中间那张桌子是干什么用的？”我边走边问。

“象征性地献给女神尼克斯。这里总会给她设一张桌子。一开始看起来有点怪，但你很快就会适应了。”

其实，我没有觉得很奇怪。某种程度上来讲，这很正常。女神在这里如此鲜活。她的烙印到处都是。雕像神气地矗立在她的神庙前。我还注意到校园里满是代表她的小照片和小塑像。我的大祭司是我的导师，而且我必须向自己承认，我已经和尼克斯有某种联系。我努力不让自己去摸头上的烙印，抓起一个托盘，站在斯蒂芬·雷身后。

“别担心！”她轻声对我说，“吃的东西很好，他们不会强迫你喝血或吃生肉之类的。”

我松了口气，放松了牙关。大多数孩子已经开始吃了，所以队伍很短，轮到斯蒂芬·雷和我的时候，我都开始流口水了。意大利面！我使劲儿闻了闻：有蒜！

“所谓吸血鬼都受不了大蒜这种事情全是狗屎——抱歉，我说粗话了。”我们一边盛东西，斯蒂芬·雷一边悄悄对我说。

“好，那关于吸血鬼都必须喝血的事情呢？”我也悄悄问她。

“不是。”她柔声说。

“不是？”

“全是胡说。”

很好，太好了，非常好。正是我想听到的——不是。

尽量不去想血之类的事情，我和斯蒂芬·雷拿了一杯茶之后，我跟着她来到一张已经有两个孩子边吃边聊得起劲的桌子前。当然我一加入，他们就完全停下来了。斯蒂芬·雷似乎一点也不觉得困扰，我和她面对面坐在桌子两边，她开始操着俄克拉何马腔作介绍。

“嘿，见见我的新室友佐伊·里德伯德。佐伊，这是艾琳·贝茨。”她指指坐在我旁边的一位不可方物的金发美女。（噢，好吧——一所学校能有多少金发美女？难道无穷无尽？）她继续用俄克拉何马腔说，稍停顿了一点表示强调："艾琳是'美人'。她风趣又聪明，还是我见过的鞋子最多的人。"

艾琳的蓝眼睛盯着我的烙印好长时间才把视线收回，然后简短地说了声："嗨！"

"这是我们这伙人里象征性的男生——达米恩·马斯林。可他也喜欢男性，所以我没正经把他算做男生。"

达米恩看上去很平静，完全不生斯蒂芬·雷的气。"其实，正因为我喜欢男性，我才应该被算做两个人。我是说，你们可以从我身上得到男性的观点，又不用担心我会对你们毛手毛脚。"

他的脸光洁无瑕，深棕色的头发和眼睛让我想起了小鹿。说实话，他很可爱。现在很多男生都过于女性化，又滔滔不绝地说些众所周知的话（好吧，也并非众所周知，除了他们无能和/或拒绝承认的父母不知道）。达米恩不是那种娘娘腔的家伙，他只是带着亲切微笑的可爱孩子。他尽力不盯着我的烙印看，这点让我赞赏。

"好吧，算你说得对。我倒是没想到这点。"斯蒂芬·雷咬了一大口蒜香面包之后说。

"别理她，佐伊！我们组其他人基本都很正常。"达米恩说，"我们都高兴得不得了，你终于来了。斯蒂芬·雷非常想知道你是什么样子，把我们都快逼疯了。你来的时候……"

"她想你是不是那种闻起来很臭的孩子，以为做了吸血鬼就一切全完了。"艾琳插嘴道。

"或者你会不会跟她们一伙。"达米恩说着，眼睛瞄向我们左边的一桌。

我随着他的视线，有点吃惊地认出他在说谁："你是说阿芙洛狄忒？"

"是啊，"达米恩说，"还有她一帮神气活现的跟屁虫。"

哈？我向他眨眨眼。

斯蒂芬·雷叹了口气："你会适应达米恩乱七八糟的词汇的。幸好，还不是什么生词，所以我们知道他在说什么，不用求他翻译。再解释一下，跟屁虫——奴颜婢膝、溜须拍马的人。”她语调高傲，仿佛在英语课上回答问题一般。

“随便怎么说吧，她们让我恶心。”艾琳盯着她的意大利面，头也不抬地说。

“她们？”我问。

“暗夜之女。”斯蒂芬·雷说，我注意到她不自觉地压低了声音。

“把她们当成一群巫婆。”达米恩说。

“还是从地狱来的。”艾琳说。

“嘿，你们，我觉得咱们不应该教唆佐伊和她们作对。她没准儿能和她们相处。”

“浑蛋！她们是该死的巫婆。”艾琳说。

“别说脏话，艾琳小熊！都收回去！”达米恩一本正经地说。

知道他们都不喜欢阿芙洛狄忒，我大舒了一口气。我正打算多问点情况，一个女孩匆匆跑来，气喘吁吁地端着托盘跌坐在斯蒂芬·雷旁边。她的肤色是卡布奇诺色（你在真正咖啡店里见到的那种，可不是路边摊上卖的超甜的次品），丰满的嘴唇和颧骨的线条让她看起来像一位非洲公主。她的头发也很好看，浓密光亮的黑色波浪发垂在肩头。她眼珠漆黑，似乎黑得连瞳孔都看不见。

“好了，拜托！拜托一下。难道没有人……”她盯着艾琳，“……觉得应该叫我起来，告诉我该去吃饭了？”

“我绝对认为我是你的室友，不是你妈妈。”艾琳懒懒地说。

“别逼我在半夜把你一头杰西卡·辛普森[①]似的金发给剪了！”非洲公主说。

①杰西卡·辛普森（Jessica Simpson）：美国流行音乐歌手，也演过一些电影，被誉为“新一代美国甜心”。

“事实上，习惯的说法应该是‘别逼我在中午把你一头杰西卡·辛普森似的金发给剪了’。正确地说，白天是我们的晚上，所以晚上也就是白天。这里时间是颠倒的。”

黑发女孩冲她眯眯眼：“达米恩，少给我咬文嚼字！”

“肖妮，”斯蒂芬·雷匆匆插嘴道，“我的室友终于到了。这是佐伊·里德伯德。佐伊，这是艾琳的室友，肖妮·科尔。”

“嗨！”肖妮转过来看我的时候，我满嘴都是意大利面。

“佐伊，你的烙印为什么满色了？你还是新生，对不对？”桌上的每个人都被她的问题惊呆了。她环视一圈说：“怎么了？别假装说你们不想知道！”

“我们可能想知道，但是我们可能出于礼貌而不问。”斯蒂芬·雷坚定地说。

“哦，拜托，随便吧。”她耸耸肩表示对斯蒂芬·雷的抗议，“这太重要了，每个人都想知道她烙印的事。很快就会谣言四起了。”肖妮又转向我：“这个奇怪的烙印是怎么回事？”

这回最好面对事实。我快速喝了口茶清清嗓子。他们四个人都盯着我，耐心地等着我的答案。

“好吧，我还是个新生，和你们没什么不同。”然后我说出了刚刚他们说话时我想到的话。我是说，我最终还是要回答这个问题的。我不傻——可能有点疑惑，但是不傻——而且我的肠胃告诉我不能说出我和尼克斯的精神会面。“我其实也不太明白为什么我的烙印会满色。刚开始追踪者给我烙印的时候不是这样的。但那天后来我出了点事，撞到了头。等我醒来之后，烙印就成了现在这个样子。我也想过，但也只能认为是事故造成了某些反应。我当时失去了意识，还流了好多血。可能这样会加速暗黑化的进程。不过，这只是我的猜测。”

“唉，”肖妮深吸口气说，“我还以为会更有趣，更值得八卦呢！”

"对不起……"我嘟囔着。

"小心，好姐妹！"艾琳对肖妮说，用头指了指暗夜之女，"你快要和她们坐一桌去了。"

肖妮做了个鬼脸："我宁死也不要和这群婊子在一起。"

"别当着佐伊的面说粗话。"斯蒂芬·雷说。

达米恩长长叹了口气："我来解释，再次证明我对这伙人有多重要，不管我是不是男的。"

"我真希望你别再用些奇怪的字眼了！"斯蒂芬·雷说，"特别是我要吃饭的时候。"

"我倒觉得没问题。"艾琳插话，"要是大家都说得很直白，也就会少很多误会。比如说，我要去厕所的时候我会说——尿是从尿道排出的，简单、明了。"

"恶心、下流、粗俗。"斯蒂芬·雷说。

"我同意你的意见，好姐妹。"肖妮说，"我是说，要是我们说撒尿、月经之类的都这么直白，生活就简单多了。"

"好了，我们吃意大利面的时候不要再谈月经什么的了。"达米恩抬起手就像他能制止谈话一样，"我可能喜欢男性，但我能做的事太多了。"他靠近我，开始解释，"首先，肖妮和艾琳互称好姐妹，但她们明显不是亲戚——艾琳是塔尔萨来的绝对的白人女孩，肖妮是从康涅狄格州来的可爱摩卡色肌肤的牙买加后裔……"

"多谢你欣赏我的肤色！"肖妮说。

"不用谢，"达米恩波澜不惊地继续他的解释，"就算她们没有血缘关系，可还是异常相像。"

"好像一出生就分开了之类的。"斯蒂芬·雷说。

艾琳和肖妮同时冲对方笑笑，又耸耸肩。我才注意到她们全身衣着都一样——黑色牛仔外套，胸口袋上都绣着漂亮金色的羽翼，黑色的T恤，低腰休闲裤。她们连耳环都一样——超大的金环。

"我们俩鞋号都一样。"艾琳说着抬起脚，让我们看见她穿的尖头细高跟皮靴。

“要是真喜欢一双鞋，只有一点颜色上的区别有什么关系？”肖妮也抬起脚秀她的靴子，只在脚踝的部位多了一道银色的搭扣。

“接着说！”达米恩插嘴，转转眼珠，“暗夜之女，简单地说就是基本上由高年级学生组成的一个团体，她们负责校风什么的。”

“不是，简单地说她们就是该死的巫婆。”肖妮说。

“我也想这么说，好姐妹。”艾琳大笑。

“你们俩别帮倒忙！”达米恩说，“现在，我说到哪儿了？”

“校风什么的。”我提醒他。

“啊，对，她们要成为这所伟大的预备校——吸血鬼预备校里的一个组织。而且，据说她们的头儿已经准备当大祭司了，所以她要当学校里的核心、首脑、代表——吸血鬼社会里的未来领导，等等之类。你就想成是获得国家优秀奖学金荣誉社团的和拉拉队队长与帮派的混合体。”

“嘿，你们叫她们帮派不觉得很无礼吗？”斯蒂芬·雷说。

“我用这个词就好像在说爱心社一样。”达米恩说。

“还有橄榄球运动员，别忘了还有暗夜之子呢！”艾琳说。

“啊哈，姐姐，将非常火的男生们也吸引进去简直是犯罪和羞耻啊！”

“她就是这个意思。”艾琳坏笑着说。

“被该死的巫婆吸进去。”肖妮总结说。

“嗨！我会忘了还有男生吗？别老是打断我！”

三个女孩冲她抱歉地笑笑。斯蒂芬·雷假装把嘴巴锁上，扔掉钥匙。艾琳和肖妮冲她做了个“白痴”表情，安静下来等达米恩说完。

我注意到她们用了“吸”这个字，让我觉得之前撞见的那一幕也不是太少见。

“但暗夜之女其实就是一群想统治其他人的浑蛋。她们想让所有人都服从她们，遵守她们自以为的吸血鬼的规范。她们中大多数都根人类，要是你和她们不一致，她们不会善罢甘休的。”

“也会让你很难受。”斯蒂芬·雷加了一句。从她的表情来看，她肯定对“难受”有切身的体会。我想起阿芙洛狄忒带我去房间的时候，她的脸色有多苍白。我提醒自己回头要问她发生过什么事。

“但是，别让她们吓着你。”达米恩说，“只要小心她们就……”

“嗨，佐伊，很高兴这么快又见到你了。”

这次我毫不困难地认出了她的声音，腻死人的甜。桌边的每个人，包括我，都吓了一跳。她穿了一件和我的差不多的毛衣，胸口绣着三个像神一样女人的剪影，其中一个好像举着一把剪刀。她穿了一条黑色超短百褶裙，黑色闪着银光的连裤袜和及膝的黑色靴子。两个女孩站在她身后，打扮得和她类似。其中一个是黑人，一头极长的头发（她一定很会辫头发），另一个也是金发（仔细看看，我觉得和我一样是天生的金发）。

“嗨，阿芙洛狄忒！”我说，其他人似乎吓得说不出话来。

“希望没有打搅你们。”她毫无诚意地说。

“没有，我们刚才在讨论今晚要出去干什么呢。”艾琳做出一个大大的假笑。

“噢，你们肯定会知道的。”她冷笑了一下，故意转过身不理艾琳，艾琳攥起拳头，简直要跳过去和她翻脸。“佐伊，我本来应该早点和你说，但是我忘了。我想邀请你参加明晚暗夜之女举办的私人满月仪式。我知道太快参加仪式对刚到学校不久的人来说不太寻常，但是你的烙印显示你，嗯，不同于一般的新生。”她不屑地瞥了眼斯蒂芬·雷，“我已经和娜菲丽特说了，她觉得你加入我们对你有好处。回头我再告诉你细节，等你不太忙着……嗯……杂事的时候。”她对我们桌上其他人讽刺地一笑，甩了甩长发，和她的随从一块儿走了。

“该死的巫婆！”肖妮和艾琳一起说。

第十章　标记

“她迟早有一天栽在自大上。”达米恩说。

“自大，”斯蒂芬·雷解释说，“骄傲得像神一样。”

“我能明白。”我说，仍然盯着阿芙洛狄忒和她的人，“英语课上我们才读完《美狄亚》[①]，伊阿宋就是毁在自大上。”

“我真想把自大从她的小脑袋里敲出去。”艾琳说。

“我会帮你按着她的，好姐妹。”肖妮说。

“别！咱们以前说过这事。打架的惩罚很严重，真的很严重，不值得。”

我看见艾琳和肖妮同时变得脸色苍白，想问问到底有多严重，但斯蒂芬·雷又说话了，这次是对我说：

“小心点，佐伊！暗夜之女，特别是阿芙洛狄忒，表面上装得很好的时候，其实是她们最危险的时候。”

---

①《美狄亚》：古希腊欧里庇得斯所著的著名悲剧，取材于希腊神话。下文中的伊阿宋即本书男主人公。

我摇摇头："哦，嗯嗯。我不会去参加她们的满月什么的。"

"我觉得你必须去。"达米恩轻声说。

"娜菲丽特同意的。"斯蒂芬·雷说，艾琳和肖妮也点头同意，"就是说她希望你去，你不能和你的导师对着干。"

"特别是你的导师还是娜菲丽特，尼克斯的大祭司。"达米恩说。

"我能不能就说我还没准备好要……不管她们要我做什么，或是问娜菲丽特我能不能——我不知道，你们叫什么——免去参加这次满月仪式。"

"嗯，可是可以，但是娜菲丽特会告诉暗夜之女，她们会认为你怕她们。"

我想了想这么短时间之内我和阿芙洛狄忒之间发生的事情："呃，斯蒂芬·雷，我可能已经开始怕她们了。"

"千万别让她们知道！"斯蒂芬·雷盯着盘子，力图掩饰她的尴尬，"不然比反抗她们还糟。"

"宝贝儿，"达米恩说着，拍拍斯蒂芬·雷的手，"别老为她们让自己难过！"

斯蒂芬·雷冲达米恩感激地甜甜一笑，然后对我说："去吧，勇敢点！在仪式上她们做不了什么太坏的事情。这是在校园里，她们不敢。"

"是啊，她们要欺负人也要到外面去，找个吸血鬼不好抓她们的地方。"肖妮说，"在这里她们装得可恶心了，所以没人知道她们的真面目。"

"除了我们。"艾琳说着挥了挥手，"意思是包括屋里的所有人，而非仅仅我们这个小组。"

"我不知道，你们，也许佐伊可以和她们相处得还不错。"斯蒂芬·雷说，她声音里完全没有讽刺或嫉妒的痕迹。

我摇头："不会的，我才不要和她们打交道。我不喜欢她们这种……这种颐指气使，以凸显她们自己优越的人。而且我也不想参加满月仪式！”我坚定地说，想起了继父和他的信徒们，和一群管自己叫女神之女的青少年竟然这么有共同点，真是讽刺。

“要是我能，我就陪你去——我们中的任何一个都会——但除了暗夜之女，你只能一个人去。”斯蒂芬·雷悲观地说。

“没关系。我……我来处理。”我突然不生气了，我只是非常非常累，很想换个话题，“跟我解释一下你们身上不同标记的含义吧！你已经讲了咱们的尼克斯的迷宫。达米恩也是迷宫，所以说他肯定是……”我停顿了一下，想起斯蒂芬·雷是怎么称呼新生的，“三年级生。但艾琳和肖妮带翅膀，阿芙洛狄忒的又不一样。”

“你是指除了接在她瘦屁股上那两条麻秆棒子之外还有其他的？”艾琳嘟囔着。

“她是说命运三女神。”达米恩插嘴，成功阻止了肖妮想补充的话，“命运三女神是尼克斯的孩子。六年级生都绣着这个标记，阿特洛波斯[①]拿着剪刀，象征学业终结。”

“对我们某些人来说，就是生命的终结。”艾琳消沉地加上一句。

这让大伙都沉默下来。我实在受不了这种让人难受的沉默，于是清清嗓子说：“那艾琳和肖妮的翅膀又代表什么？”

“厄洛斯之翼，厄洛斯是尼克斯的种子里生出的孩子[②]……”

“就是爱神。”肖妮说，嘴巴扭曲了一下。

---

①阿特洛波斯（Atropos）：命运三女神之一，老大，掌管死亡，负责切断生命之线。老二拉切西斯（Lachésis）负责维护生命之线，最小的克罗托（Clotho）掌管未来和纺织生命之线。

②关于尼克斯和厄洛斯的关系众说纷纭，按赫西俄德的说法两神为同辈，也有人说厄洛斯为尼克斯之父，阿里斯托芬的说法是厄洛斯为尼克斯的蛋中生出的孩子。而较普遍的说法为，厄洛斯是阿芙洛狄忒之子。艾琳可能不想提到阿芙洛狄忒这个名字，所以采用了文中的说法。

达米恩冲她皱皱眉，然后说："厄洛斯的金色羽翼是四年级的标志。"

"因为我们是爱的班级。"艾琳唱着说，嘴唇动作优雅，一边把双臂伸过头顶。

"其实是因为要提醒我们尼克斯掌管爱的能力。另外羽翼也象征我们不断前进。"

"那五年级的标志是什么？"我问。

"尼克斯金色的战车所过之处星星铺成的轨道。"达米恩说。

"我觉得这是四个标志里最漂亮的一个了。"斯蒂芬·雷说，"星星异常闪耀。"

"战车说明我们要继续尼克斯之旅，星星代表两年已经神奇地度过了。"

"达米恩，你真是个好学生！"艾琳说。

"我跟你说过要让他辅导我们人类神话课测验。"肖妮说。

"我记得是我告诉你我们需要他帮忙，而且……"

"不管怎么说，"达米恩大声盖过她们的争吵，"这就是四个年级的标志。很简单，真的。"他特别看着现在已经沉默下来的那对姐妹，"要是你们上课认真听讲，而不是传小条或盯着你们觉得可爱的男生看。"

"你真是假正经，达米恩！"肖妮说。

"特别是对于一个你这样的男生来说。"艾琳加了一句。

"艾琳，今天你的头发有点毛糙。没什么别的意思，但或许你该考虑换换护发产品了，一定要特别注意才行，不然接下来你的头发就要分叉了。"

艾琳瞪大了蓝眼睛，手部自觉地放到头发上。

"哦，不不不。我绝对不相信你竟然这么说，达米恩。你知道她有多爱护她的头发。"肖妮气鼓鼓的，像一条摩卡色的河豚鱼。

达米恩却只是笑笑，继续吃他的意大利面，装做完全无辜状。

“喂，你们……”斯蒂芬·雷站起来，胳膊肘挽住我，快速地说，“佐伊累了。你们都还记得第一天来这儿时的情况吧？我们要回房间了。我还得准备吸血鬼社会学的测验，所以估计就要明天见了。”

“好的，再见。”达米恩说，“佐伊，真的非常高兴见到你。”

“是呀，欢迎来到地狱高中。”艾琳和肖妮一起说，随后斯蒂芬·雷就拉着我走出了餐厅。

“谢谢，我真的累了。”我对她说，回去穿过走廊的时候，我很高兴地认出了通往学校主楼的路。两只猫从走廊穿过，一只银灰色油光水滑的猫正在追逐一只看起来很疲倦的小斑纹猫，我们停下来。

“别西卜[①]！放开卡梅伦！不然达米恩会扒了你的皮！”

斯蒂芬·雷骂了灰猫一句，但它完全没有停手，反而向我们来的方向追去了。斯蒂芬·雷冲它皱皱眉。

“肖妮和艾琳需要教教她们的猫礼貌。它总是胡闹。”她看了一眼。我们离开大楼，走进黎明前柔和的灰暗之中。“那只小卡梅伦是达米恩的猫。别西卜是艾琳和肖妮的，它同时选择了她们两个。是啊，听起来很奇怪，但不久之后，你就会像我们一样，开始觉得她们才是真正的双胞胎姐妹。”

“她们人都不错。”

“哦，她们非常好。经常吵架，但她们特别忠诚，决不许别人讲你的坏话。”她咧嘴一笑，“好吧，她们可能会谈论你，但不一样，也不会背着你。”

“我很喜欢达米恩。”

“达米恩很体贴，又很聪明。不过我有时候会同情他。”

“怎么会呢？”

“嗯，六个月前，他刚来的时候，本来有个室友，但那个家伙一

---

①别西卜（Beelzebub）：《圣经》中提到过的著名魔鬼之一。

发现他是……嗨，一般男生都会隐瞒的，他却向娜菲丽特报告了，说他不愿意和这样的人同处一室。”

我做了个鬼脸，我受不了那种憎恨不同取向的人。“娜菲丽特能容忍这种态度？”

“没有，她很清楚地对那孩子说了。哦，他到这儿来之后改名叫托尔[①]，”她摇摇头，转了转眼珠，“算是个人物吧？总之，娜菲丽特告诉他这么做不合适，而且他让达米恩选择自己换房间或是还与托尔一起住。达米恩选择搬走。我是说，你会吗？”

我点头：“当然，我才不会和托尔这种人住一起呢！”

“我们也都是这么想的。所以达米恩到现在都一直一个人住。”

“这里还有其他跟达米恩一样的孩子吗？”

斯蒂芬·雷耸耸肩：“有几个女孩是完全公开的拉拉，但是她们很酷，一点也不避讳地当着我们其他人的面腻在一起。她们参与到女神的崇拜当中去，大多数时间都花在尼克斯神庙里。而且，当然啦，总会有一帮白痴女生觉得女生之间互相交往很酷，但只当着男生的面卿卿我我。”

我摇头：“你知道，我从来就不理解为什么有人觉得女生互相交往是钓男朋友的方法。根本就会适得其反。”

“比如当我吻一个女孩的时候，我男朋友会认为我很辣？得了吧！”

“那这样的男生呢？”

斯蒂芬·雷叹了口气：“达米恩之外倒是也有几个，但是相对达米恩来说，他们都太古怪，也太娘娘腔了。我很同情他，觉得他很孤单。他父母也不和他联系。”

“吸血鬼让他们觉得不能接受？”

---

①托尔（Thor）：北欧神话中的雷神，奥丁之子，英语中的星期四Thursday即根据他的名字而来。

“不是，他们根本不关心他。别和达米恩说，不然会伤害他的感情。其实，我觉得他被烙印的时候，他们反而松了口气。他们压根儿不知道该拿一个这样的儿子怎么办。”

“他们为什么什么都不做？他还是他们的儿子。只不过是喜欢男人而已。”

“嗯，他们住在达拉斯，他爸爸是信徒中的头目。我估计是个什么部长之类的……”

我抬起手：“打住，不用解释了！我完全明白了。”确实是。对“唯我独尊”这种信徒们狭隘的思想我太熟悉了。想到这儿我都觉得又累又沮丧。

斯蒂芬·雷打开宿舍的门，公共客厅里没多少人，就有几个女孩在看重播的《70年代秀》[①]。斯蒂芬·雷向她们挥了挥手。

“嘿，要不要带点汽水什么的上去？”

我点点头，跟着她穿过公共客厅，走到一间小点的屋子里。里面有四台冰箱、一个大水槽、两台微波炉、许多橱柜，中间摆着一个漂亮的白色木餐桌——就像普通的厨房一样，除了冰箱有点怪。这里一切都很整洁。斯蒂芬·雷打开其中一台冰箱。我从她身后瞥见里面装满了各种各样的饮料——从汽水到果汁，再到很难喝的加气纯水。

“你要什么？”

“可乐就好。”我说。

“这些都是给我们的。”她一边说一边递给我两罐健怡可乐，自己又抓了两瓶福雷斯卡[②]，“水果蔬菜之类的在这两台冰箱，三明治用的瘦肉在另一台。冰箱永远都是满的，但是吸血鬼们对我的饮食健

---

①《70年代秀》，美国FOX电视台1998—2006年播出的情景剧，共八季，背景设定在20世纪70年代。

②福雷斯卡（Frescas）：可口可乐公司下属的一个软饮料品牌，主要在北美销售。

康很有执念，所以薯片、夹心蛋糕之类的你都找不到。

“也没有巧克力？”

“有，橱柜里有几种很贵的巧克力，吸血鬼们说适量的巧克力对我们有好处。”

*好吧，谁会去吃“适量的”巧克力？*从公共客厅回房间的路上我一直在想这个问题。

“这么说来，嗯，吸血鬼们……”我斟酌着用词，“非常在意健康饮食？”

“嗯，是呀，但我觉得只有新生才健康饮食。我是说，你看不见胖吸血鬼，但是你也不会见他们在拌色拉时只挑芹菜和胡萝卜。大多数吸血鬼都在他们自己的餐厅一起吃，据说他们的伙食很好。”她瞥了我一眼，压低声音说，“我听说他们吃很多种红肉，很多种少见的红肉。”

“呃！”我脑子突然出现了娜菲丽特嚼着血淋淋的肉排的画面，我真不喜欢这个画面。

斯蒂芬·雷打了个寒战，继续说：“有时候有的导师会和新生一起进餐，但他们通常只喝一两杯葡萄酒，并不吃我们的饭。”

斯蒂芬·雷叹了口气打开门，我坐在床上，脱掉鞋子。天哪，我累死了。我一边揉着脚，一边想为什么成年吸血鬼不和我们一起吃饭，随后又不想多考虑这个问题。我的意思是，像他们到底吃什么，我变成成年吸血鬼之后吃什么，此类的问题我脑子里已经太多了，唉！

而且，我脑子里突然想起昨天我对希斯的血的反应。才昨天？以及更近些的，我在走廊里对血的反应。不，这两件事我都绝对不想考虑，一点也不。所以我马上又回到健康饮食的问题上来了。

“好吧，他们并不很关心自己的饮食健康问题，那我们是不是吃得健康又有什么关系呢？”我问斯蒂芬·雷。

“他们让我们吃得健康，并且每天锻炼都是出于一个目的——这样我们的身体才能尽可能强壮，因为要是你变得瘦弱、肥胖或生病，首先的征兆就是你的身体会拒绝转变。”

“这样你就会死。”我轻声说，

“这样你就会死。”她同意说。

第十一章　新课

我觉得自己没睡着。我躺在床上，想家，思虑着我的生命中发生的奇怪变化。走廊中见到的那个男生的眼睛突然在我脑中闪过，但是我太累了，完全无法多想。就连阿芙洛狄忒莫名其妙的恨意也让我睡不着。事实上，我的额头反倒是最后才想到的事情。是因为烙印和伤口又酸痛起来了，还是因为我又长了超大的疹子？我在吸血鬼学校第一天上学的发型如何？不过我抱着从家里带来的毛绒玩偶，呼吸着熟悉的羽绒气息和家的味道，完全没想到有这么安全，这么温暖……我渐渐沉睡了。

我也没做噩梦。我梦到了猫。怎么会？帅哥？不是。新的吸血鬼能力？当然也不是。就是猫。有一只猫很特别——一只橙色的小斑纹猫，小小的爪子，肚子圆圆地垂着，看上去有点像育儿袋。它用一种老妇人的声音不断冲我叫着，问我为什么这么久才来。之后，猫的声音变成了讨厌的嗡嗡、哔哔的声音，而我……

"佐伊，拜托！把那个白痴闹钟关了！"

"什么，嗯？"哦，天哪！我讨厌早上。我的手摸索着找到闹钟讨厌的开关。我有没有提如果不戴隐形眼镜我就是个睁眼瞎？我抓起框架眼镜，瞥了眼时间。下午六点三十分了，我才起床，说起来都奇怪。

“你要不要先冲个澡？还是我先冲？”斯蒂芬·雷睡意蒙眬地问。

“我先吧，要是你不介意。”

“我不……”她打了哈欠。

“好。”

“我们要快点。我不知道你怎么样，不过我一定要吃早饭，不然不到午饭时间我就要饿死了。”

“麦片？”我突然间高兴起来。我超喜欢麦片，还有件上面印着“我·麦片”的T恤来证明。我特别爱吃“巧库拉伯爵”[①]麦片——又是一个对吸血鬼的讽刺。

“是啊，总是有各种各样的麦片、面包圈、水果、煮鸡蛋之类的。”

“我得快点。”我突然觉得饿了，“嘿，斯蒂芬·雷，我穿什么没关系吧？”

“没关系。”她又打了个哈欠，“随便穿件毛衣或者外套，只要上面有三年级的标志就行。”

我确实动作很快，虽然我也很担心仪表问题，希望能有很长的时间整理我的发型和妆容。她洗澡的时候，我用了她的化妆镜，决定比起高调，低调点可能会是更好的选择。奇怪的是，我的烙印似乎转移了我脸上的重心。我的眼睛长得不错——大大的、圆圆的黑眼睛，睫毛浓密。凯拉总是哀号着说我长了三个女孩那么多的睫毛，而她只有

---

①巧库拉伯爵（Count Chocula）：美国一种巧克力味的麦片，包装上印有吸血鬼的卡通形象。其名称来自著名的吸血鬼德库拉伯爵（Count Dracula）和巧克力（chocolate）的融合。

稀疏的几根金色的短睫毛，太不公平（说起来……我也很想凯拉，特别是今天，我已经不能和她一起去新学校了。或许待会儿我该给她打个电话，或者发个电子邮件。或者……我想起希斯给聚会的评价，决定还是算了）。无论如何，烙印似乎让我的眼睛显得更大更黑。我打了点带银色闪粉的烟黑色眼影。没有画很重，不像有些白痴女孩以为糊上厚厚的黑眼线就很酷。啊，对。她们看起来像吓人的浣熊。我把眼影晕染开，又上了睫毛膏，在脸颊上刷上铜色的腮红，然后涂上了唇彩（以遮掩我对自己嘴唇的不满）。

我又盯着我自己。

还好我的发型还算服帖，额上美人尖的头发也没像有时候那样竖起来。我看上去……嗯……有点不同，但还是我。烙印在脸上造成的效果还没退去。让我脸上的部落特征更加突出：黑色的眼睛、切罗基族的高颧骨、直挺的鼻子、那股骄傲劲儿，甚至橄榄色的皮肤都像我外婆。女神赐予的湛蓝色的烙印使这些特征更加突出了，释放了我体内切罗基女孩的血统，让她闪现了出来。

“你的头发看上去很好。”斯蒂芬·雷走出浴室，一边用毛巾擦干头发，“我希望我的头发长了之后也能像你的一样服帖。每次留长了都很毛糙，像马鬃一样。”

“我喜欢你的短发。”我给她让位，抓起我那双黑色带亮片的可爱平底娃娃鞋说。

“唉，这让我变成了异类。这里每个人都留长发。”

“我注意到了，但是不太明白怎么回事。”

“这是开始转变时必然发生的事情。吸血鬼的头发和指甲都长得非同一般地快。”

我想起阿芙洛狄忒的指甲划破牛仔裤和皮肤，尽力不让自己耸肩。

幸好斯蒂芬·雷没有注意到，她继续说道：

“你会明白的。过一段时间你不用看他们的标志就知道是哪个年级的。总之，这类东西你都会在吸血鬼社会学课上学到。哦！这倒提醒我了。”她在书桌上的纸堆中翻腾，找出一张递给我，“这是你的课程表。咱们第三节和第五节一起上。看看第二节课的选修课列表，你可以随便选一门上。”

我的名字用黑体印在课程表上方：佐伊·里德伯德，三年级，还有日期，那是追踪者给我烙印的五天前（?!）。

第一节——吸血鬼社会学，215室，娜菲丽特教授
第二节——戏剧，表演艺术中心，诺兰教授
或素描，312室，多纳教授
或音乐概论，314室，文托教授
第三节——文学，214室，彭特西勒亚教授
第四节——击剑，体育馆，D.兰克福德教授

午休

第五节——西班牙语，216室，嘉米教授
第六节——骑术研究概论，马场，雷诺比亚教授

“没有几何？”我脱口而出。我完全被这张课程表吓倒了，但还尽力保持乐观。

“没有，谢天谢地。不过下学期咱们要学经济，那也没几何糟糕。”

“击剑？骑术研究概论？”

“我跟你说过他们要咱们保持健康。击剑很难，不过还好。我不太擅长，不过经常能有机会和高年级生组对——有点像学生教练，我得说，有些男生很帅！我这学期不学骑术——他们把我调到跆拳道课去了。跟你说，我非常喜欢！”

“真的？”我怀疑地问。*不知道骑术课会是什么样子。*

“没错。选修课你上哪个？”

我低头看了一眼课程表："你上哪个？"

"音乐概论。文托教授很酷，而且，嗯……"斯蒂芬·雷红着脸笑道，"我想当乡村音乐明星。我是说肯尼·切斯尼、菲斯·希尔、仙妮亚·唐恩都是吸血鬼——他们只是其中的三个。哎呀，葛斯·布鲁克斯就是俄克拉何马长大的，你知道他是这堆人里最大牌的吸血鬼。所以我为什么不能呢？"

"听起来很有说服力。"我说。为什么不呢？

"要不要和我一起上音乐？"

"要是我会唱歌或者会任何一种乐器就好了，可惜我不会。"

"哦，好吧，那算了。"

"其实，我在想戏剧课。我在原来学校上过戏剧课，也挺喜欢的。你知道诺兰教授怎么样吗？"

"嗯，她从得克萨斯来，有很重的口音。不过她在纽约研究戏剧，大家都喜欢她。"

斯蒂芬·雷说到诺兰教授有口音的时候，我差点儿笑出声来。她学得真不怎么样，像给活动房屋做广告，不过要是说出来恐怕会伤害她的感情。

"那就选戏剧吧！"

"好，拿上你的课程表，咱们走。嘿！"我们匆匆走出房间，跳着下楼梯，"没准儿你会是下一个妮可·基德曼！"

嗯，当下一个妮可·基德曼也不错（可不是说我计划嫁一个狂躁的矮男人然后再离婚）[1]。从追踪者将我的生活搞得一团糟之后，我还没想过我未来的职业，现在斯蒂芬·雷提到了，而我正经考虑起来，还是觉得我想当个兽医。

---

①指妮可·基德曼和汤姆·克鲁斯的一段婚姻。妮可·基德曼身高1.76米，而汤姆·克鲁斯只有1.70米。

一只极肥的黑白花纹长毛猫从台阶上蹿到我们前头，追逐一个仿佛是克隆它自己的猫。这里的所有猫肯定需要吸血鬼兽医（嘿嘿……吸血鬼兽医……我可以叫我的诊所吸血鬼兽医院，广告这么写："我们将免费采血！"）

厨房和公共客厅挤满了女孩，吃东西的、聊天的、匆匆走来走去的。斯蒂芬·雷给我介绍了几个看起来不至于莫名其妙的女孩，我一边跟她们打招呼，一边继续注意找巧库拉伯爵的盒子。正有点着急怕没有供应的时候没想到找到了，藏在几个糖霜麦片（也是不错的选择，不过，不是巧克力味的，而且还没有好吃的小蜜饯）的大盒子后面。斯蒂芬·雷盛了一碗幸运魔咒[①]，坐在厨房的桌子旁快速地吃。

"嗨，佐伊！"

这个声音，在斯蒂芬·雷突然低下头，盯着碗之前我就听出是谁了。

"嗨，阿芙洛狄忒！"我尽力说得自然。

"我怕一会儿见不到你，所以先通知你一下今晚去哪里。暗夜之女满月仪式在凌晨四点开始，就在学校仪式之后。赶不上吃晚饭了，不过别着急，我们有饭。哦，就在东墙那边的娱乐厅。学校仪式之前咱们在尼克斯神庙前头碰面，我和你一起去，之后我给你带路。"

"其实我已经答应和斯蒂芬·雷一起去参加学校仪式。"我痛恨强人所难。

"是啊，实在抱歉。"我很高兴听见斯蒂芬·雷抬起头来说。

"嘿，你知道娱乐厅在哪儿，对吧？"我用最无辜的声音生动地问斯蒂芬·雷。

"是，我知道。"

"那你告诉我怎么走，好吧？这样阿芙洛狄忒就不用担心我会迷

①幸运魔咒（Lucky Charms）：麦片品牌，和巧库拉伯爵是同一个公司的不同品牌。

路了。”

“随时乐意效劳。”斯蒂芬·雷尖着嗓子说，听起来像大人版的她自己。

“那就没问题了。”我对阿芙洛狄忒露出一个大大的笑容。

“好吧。那就好。凌晨四点见，别迟到了！”她转身走了。

“要是她还是这么扭着屁股走路，肯定会打碎东西。”我说。

斯蒂芬·雷笑喷了，差点被牛奶呛到，她一边咳嗽一边说：“我吃东西的时候可别这么说了！”她咽下嘴里的东西，冲我笑道：“你没被她牵着鼻子走。”

“你也没有啊。”我吞下最后一大勺麦片，“好了吗？”

“好了。嗯，这很简单。你第一节课正好在我隔壁。三年级的主课都在同一间教室。来吧——我带你去，然后肯定有人会安排你的。”

我们把餐具都收到五台洗碗机其中的一台里，匆忙踏进了美丽秋天的夜色中。天哪，晚上上学可真奇怪，虽然我的身体告诉我一切正常。我们跟着学生群到了一扇厚重的木门前。

“三年级厅就在这里。”斯蒂芬·雷带我到一个拐角处，爬上一小截楼梯。

“那是卫生间吗？”我们匆匆路过两扇门之间的一个喷水池时，我问。

“对。”她说，“这边是我的教室，你的教室就在右边。咱们下课见！”

“好的，谢谢！”我叫道。

至少卫生间很近。万一我肠胃不好拉肚子，也不用跑太远。

第十二章　心跳

“佐伊，来这里！”

我听见达米恩的声音时，差点儿感动得哭出来。他向我招手，示意我坐到他旁边的空位子上。

“嗨！”我坐定，感激地向他笑笑。

“第一天准备好了吗？”

没有。

我点头：“好了。”我还想说点什么，不过铃声短促地响了五下，娜菲丽特踏着铃声进了教室。她穿着黑色长衫，两边开衩，露出很棒的细高跟靴子。她外罩深紫色丝质套衫，左胸口绣着银色的女神像，女神双臂抬起，双手摆出月牙形。她红褐色的头发向后辫成粗粗的辫子。一系列精致的波纹刺青环绕脸庞，让她看起来像古代战士的祭司。她向大家笑笑，我和全班同学一样，都为她的震撼出场所着迷。

“晚上好！我很期待这一单元课程的开始。钻研亚马逊部落丰富的社会学是我最喜欢的课题之一。”她指指我，“很高兴今天佐伊·里德伯德开始加入我们。我是她的导师，所以我希望我的学生都能欢迎她。达米恩，你能带她去取课本吗？她的柜子就挨着你的。你向她说明一下咱们的储物系统。其他人我希望你们能记录一下亚马逊部落里知名的古代吸血鬼战士给你们的印象。”

教室里响起一阵明显的翻书沙沙声，学生们开始低声讨论。达米恩带我到教室后面一面墙的柜子前。柜子很整洁，宽宽的架子上满是教科书等各种必需品。

“不像其他学校，暗夜学院这里没有带锁的储物柜。这里，第一节课的教室是咱们的主教室，咱们都有一个自己的柜子。教室一直都开着，你可以过来拿书或者其他东西，就像以前用大厅的储物柜一样。这是你的社会学书。”

他递给我一本厚厚的皮面书，封面上和标题“吸血鬼社会学初级”一起印着女神的剪影。我又拿起一个笔记本和几支笔。我关上柜门的时候犹豫了一下：

“没有锁之类的东西？”

“没有，”达米恩压低声音说，“这里不需要锁。要是有人偷东西，吸血鬼们会知道的。不敢想象笨到去偷东西的家伙会有什么结果。”

我们回到座位，我开始记下对于亚马逊我所知道的唯一的事情——他们的战士都是女性，而男人却不大派得上用场。——但是我的脑子却不在功课上。我在想为什么达米恩、斯蒂芬·雷，甚至艾琳和肖妮都那么害怕惹麻烦。我是说，我是个好孩子——好吧，并不完美，但还算好。到目前为止，我只有一次被课后留校，那还不是我的错。真的，有个讨厌的男生想让我对他做龌龊的事。我应该怎么办？哭？傻笑？撅嘴？嗯……不……所以我狂扇了他（虽然我只想单用“扇”这个字），然后我就被课后留校了。

总之，留校也没那么糟。我把作业都做完了，还开始看《绯闻女孩》的新书。很明显，课后留校这种事在暗夜学院必然不只去老师办公室过四十五分钟“安静时间”这么简单。回头我得记得问问斯蒂芬·雷……

“首先，哪项亚马逊传统我们现在在暗夜学院还在做？”娜菲丽特的提问把她拉回到课堂。

达米恩举手：“把拳头放在心口位置鞠躬表示尊敬，来源于亚马逊，还有我们握手的方式——握住前臂。”

“正确，达米恩。”

哈，这倒是解释了奇怪的握手[①]。

“那你们对亚马逊战士有什么样的概念？”她问全班。

坐在教室另一边的金发女生说：“亚马逊人是典型的母系氏族社会，和所有的吸血鬼社会一样。”

天，她听起来很聪明。

“这是对的，伊丽莎白，不过当人们讨论亚马逊人时，在传说中通常倾向于再添加一条。知道我指的是什么吗？”

“嗯，人们——特别是人类——认为亚马逊人憎恨男人。”达米恩说。

“没错。我们只知道亚马逊社会是母系社会，和我们一样，但并不直接意味着那就是反男性的社会。甚至尼克斯也有一位配偶，厄瑞波斯[②]。她专情于他。但亚马逊人的独特在于，他们是选择吸血鬼女性作为他们的战士和保护人的社会。大多数人都知道，我们的社会到今天还是母系社会，但我们也尊敬和欣赏暗夜之子，把他们当做我们的保护人和配偶。现在把书打开到第三章，我们来看看亚马逊最伟大的女战士彭特西勒亚。但注意，要把传说和历史在脑中区分开。”

娜菲丽特讲了一节我听过的最酷的课。铃声响起，我完全惊呆了，都不知道一个小时已经过去了。我把社会学课本塞回杂物间时

①见本书第六章，娜菲丽特正是用这种方式和佐伊握手。

②厄瑞波斯（Erebus）：希腊神话中的远古黑暗之神，混沌之子。

（好吧，我知道达米恩和娜菲丽特叫“柜子”，但是拜托——这完全就像我们在幼儿园时用过的小文件架），娜菲丽特叫我的名字。我抓起笔记本和笔跑到她的讲台边。

“你还好吗？”她问我，笑得很温暖。

“还行，我很好。”我很快回答。

她扬起一边眉毛看着我。

“好吧，我有点紧张，有点糊涂。”

“当然会啦，有太多要接受的，换学校一般都很困难——更别说学校和生活都变了。”她瞥了眼我身后，“达米恩，你带佐伊去戏剧教室好吗？”

“没问题。”达米恩说。

“佐伊，咱们晚上在仪式上见。哦，阿芙洛狄忒有没有正式邀请你参加暗夜之女的私人仪式？”

“有。”

“我想再确认一下你要参加。我当然明白你很含蓄，但是我鼓励你去，我希望你利用起这里的每一次机会，而暗夜之女是个专门的组织。他们对发展你成为新成员感兴趣是件好事。”

“我很高兴能去。”我强迫自己的声音和微笑都保持正常。她很明显希望我去，而我最不愿意她对我失望。另外，让阿芙洛狄忒以为我怕她，没门儿！

“很好。”娜菲丽特热切地说。她捏捏我的胳膊，我不由自主对她笑笑。“如果你想找我，我的办公室和医务室在同一侧。”她看了一眼我的额头，“缝线已经基本上完全溶解了，太好了，头还疼吗？”

我的手不由自主地摸上了太阳穴。昨天至少十点才缝合的伤口，今天只能感觉到一两个针脚的刺痛感了。非常非常奇怪。更奇怪的是，从今天早上开始，我完全没有想到伤口的事情。

我也注意到我没想妈妈、希斯或里德伯德外婆……

“不疼了，”我说，突然间醒悟娜菲丽特和达米恩都在等我的回答，“我的头一点都不疼了。”

“好！你们两个该走了，不然会迟到。我知道你会喜欢戏剧的。我估计诺兰教授刚开始教独白。”

我在走廊走到半路上，赶着追上达米恩，突然想起来：

“她怎么知道我要选戏剧课的？我今天早上才决定。”

“成年吸血鬼有很多种知道事情的方法。”达米恩轻声说，“记住，成年吸血鬼一直都有太多知道事情的方法，特别是这位吸血鬼还是大祭司。”

还有很多我没有告诉娜菲丽特的事，我可不愿意多想了。

“嘿，你们俩！”斯蒂芬·雷冲出来，“吸血鬼社会学怎么样？有没有开始讲亚马逊？”

“很好。”我很高兴终于不再说神秘的吸血鬼话题，“我不敢相信她们为了不碍事真的把右乳给割了。”

“要是她们都像我一样平就用不着割了。”斯蒂芬·雷说着看了看自己的胸部。

“或是我也一样。”达米恩夸张地叹了口气。

直到他们向我指了指戏剧教室的门时，我还在笑个不停。

诺兰教授不像娜菲丽特那么光彩四射，但她充满活力。她很健壮，但又有点梨形身材。她有一头深褐色的长直发。而且斯蒂芬·雷说得对——她的得克萨斯口音很重。

“佐伊，欢迎！随便找地方坐下。”

我认出吸血鬼社会学课上的女生伊丽莎白，和她打了个招呼之后就坐在她身边。她看起来挺友好的，而且我已经知道她很聪明。（和聪明孩子坐一起总没坏处。）

“每位同学开始挑独白，下周课上表演。但首先，我想你们会希望有人示范一下独白该怎么演，所以我请了一位很有天赋的高年级学生来背诵一段《奥赛罗》里的著名独白。作者是古代的吸血鬼剧作家莎士比亚。"诺兰教授停了一下，看了一眼门上的窗户，"他来了。"

门开了，*哦，我亲爱的体贴的主*，我确信我的心脏完全停跳了。我也肯定我像个白痴一样张着嘴。他是我见过的最帅的青年，他很高，黑色的头发和超人的完美鬈发一样可爱。湛蓝色的双眼令人印象深刻，而且……

哦，该死！该死！该死！他就是走廊里那个男生。

"进来吧，埃里克！你来的时间还和往常一样精确。我们在等你的独白表演呢。"她转身对我们说，"你们多数人可能已经认识五年级生埃里克·奈特了，也知道他夺得了去年暗夜学院举办的世界独白比赛冠军，决赛是在伦敦举行的。他上学期在咱们自己制片的《西区故事》[①]中扮演托尼，他的表演在好莱坞和百老汇也刮起了旋风。这节课交给你了，埃里克。"诺兰教授面露喜色。

我的身体突然自己动了起来，随着其他同学一起鼓掌。埃里克面带微笑，信心十足地踏上了宽敞的大教室前方中央的讲台。

"嗨，大家好！"

他正对着我说话。我的意思是，直接对着我说话。我觉得我的脸越来越烫。

"独白似乎挺吓人的，但关键是把台词串下来，然后想象着你在和其他所有的演员演对手戏。让自己认为并非你一个人在台上，就像这样……"

他开始表演《奥赛罗》中的独白。我对这部戏所知不多，只知道是莎士比亚的悲剧之一。埃里克的表演太精彩了。他个子很高，至少有六英尺[②]，但他念起台词的时候，似乎变得更高大、更成熟，也更有力量。他声音低沉，用一种我说不上是什么的语调。美得出奇的双眼变得深沉，眯成一条缝，当他说到苔丝狄蒙娜的名字的时候，仿

---

①《西区故事》(West Side Story)：世界著名音乐剧。

②六英尺约合182.88厘米。

佛就在祈祷。他甚至还没说出最后的台词，就已经很明显地看出他爱她。

她为了我所经历的种种患难而爱我，

我为了她对我所抱的同情而爱她。

他说最后两句台词的时候眼睛紧盯着我，就像昨天在走廊一样。仿佛教室里没有其他人，全世界也没有其他人。我感觉内心深处一阵颤抖，非常像我被烙印之后两次闻到血的感觉，但教室里并没有一滴血溅出来。只有埃里克。之后他微笑着，手指触唇，好像向我送了个飞吻，然后他又鞠了一躬。全班同学，也包括我在内，狂热地鼓起掌来。真的，我情不自禁。

“独白就是这么表演的。”诺兰教授说，“教室后方的红色架子上有不少有关独白的书。你们每人都拿几本来看看！你们要找出对你们特别有意义的一幕——就是能触及你心灵的一幕。我在教室里巡回，如果你们对独白还有任何问题就问我。你们选定之后，我再告诉你们准备表演需要哪些步骤。”她充满活力地笑笑，又点头示意我们开始在无数独白剧本中找书。

我还是觉得面红耳赤，呼吸急促，但我还是和其他同学一起站起来，却又忍不住回头瞥了他一眼。他正要（真不幸）离开教室，但在他转身离去之前恰恰又看到了我在呆呆地看着他。我脸红了（又一次）。他和我对视，冲我笑笑（再一次），然后就离开了。

“他真是帅呆了！”有人在我耳边低声说。我转过身，吓了一跳，模范学生伊丽莎白正一边盯着埃里克的背影，一边给自己扇风。

“他有女朋友吗？”我突然像个傻子一样地说。

“不可能没有。”伊丽莎白说，“其实之前有传闻说他和阿芙洛狄忒交往过，不过在我来的这几个月之前就分手了。给你。”她轻抛给我几本独白的书，“我叫伊丽莎白，没有姓。”

我一脸疑问的表情。

她叹了口气："我姓提斯华斯[1]。你能想象吗？到这里之后，我的导师说我可以随意换成任何我喜欢的姓名，我知道终于可以摆脱'提斯华斯'了，不过要挑一个新的姓也挺有压力的。所以我就决定只要名，不要麻烦的姓了。"没有姓的伊丽莎白耸耸肩。

"哦，嗨！"我说，这里还真是有不少古怪的孩子。

"嘿！"我们回座位的时候她说，"埃里克刚刚在看你。"

"他在看所有的人。"我说着，又觉得脸开始变得又红又热。

"对，但他真的在看你。"她咧嘴一笑，又加了一句，"哦，我觉得你满色的烙印很酷。"

"谢谢。"不过衬着我的大红脸，可能奇怪得要死。

"对选择独白有什么问题吗，佐伊？"诺兰教授问，又把我吓了一跳。

"没有，诺兰教授。我在以前高中的戏剧课上学过独白。"

"很好，要是你需要我解释设定或者人物，尽管来问我。"她拍拍我的胳膊，又继续巡回教室了。我打开第一本书，开始翻页，尽力想忘掉埃里克（但没用），专心在独白上。

他真的看过我。但是为什么？他肯定知道我就是走廊上那个人。那么他到底对我哪点感兴趣？一个和讨厌的阿芙洛狄忒极度温存的男人，我要他喜欢我做什么？估计我也不会要。我是说，我绝对不会要一个她玩剩下的人。或许他只是对我奇怪的满色烙印好奇吧，就和其他人一样。

但是又不太像……他好像是在看我，而且我也喜欢他看我。

我瞥了一眼刚刚完全没在看的书。那一页上的小标题是"女性戏剧独白"。下面第一段独白是何塞·埃切加赖[2]的《荒谬到底》。

哎，见鬼，这估计是个征兆。

---

①提斯华斯（Titsworth）：这个姓在俗语中通常的意思是"没用的，不值钱的"。

②何塞·埃切加赖（Jose Echegaray）：西班牙剧作家、诗人，1904年获诺贝尔文学奖。

第十三章　沉船

后来其实是我自己找到的文学课教室。好吧，其实就在娜菲丽特办公室的对面，不过没有像一个完全无能的白痴新人一样必须让人带路，多少让我增加了自信。

“佐伊！我们帮你占了位子！”我刚到教室就听见斯蒂芬·雷喊道。她坐在达米恩旁边，简直兴奋得不得了。她又看上去像只快乐的小狗了，这让我不禁微微一笑。我真的很高兴见到她：“快快快！什么都跟我说说！戏剧课怎么样？你喜欢吗？诺兰教授怎么样？她的刺青是不是很酷？我觉得像面具……有点……”

达米恩抓住她的胳膊：“喘口气，让她有时间回答。”

“抱歉！”她不好意思地说。

“我想诺兰的刺青很酷吧。”我说。

“你想？”

“好吧，我分心了。”

“什么？”她眯起眼睛说，“是不是有人因为你的烙印给你难堪了？我发誓那些人只是粗鲁而已。”

“不是，不是这事。其实那个没有姓的女孩伊丽莎白说她觉得很酷，而且分心是因为，嗯……”我觉得脸又变烫了。我决定要向她们问问埃里克的事情，不过现在我在权衡要不要和盘托出，我要不要告诉他们走廊里发生的事情呢？

达米恩兴奋起来：“我嗅到花边新闻的味道了。拜托，佐伊！你分心是因为……”他把句子拖成了问句。

“好啦，好啦！总结起来就一个姓名：埃里克·奈特。”

斯蒂芬·雷的下巴掉了下来，达米恩假装晕倒，不过他马上就得起来，因为正在这时铃声响了，彭特西勒亚教授大踏步走进教室。

“一会儿说！”斯蒂芬·雷低声说。

“说定了！”达米恩用口型说。

我无辜地笑笑。要是没什么特别事情，我敢肯定提到埃里克会让他们一节课坐立不安，我不禁很高兴。

文学课是一种新的体验。首先，教室本身就和我以前见过的都不一样。各种稀奇古怪的海报和看上去像原创的绘画铺满了教室墙壁上每一英寸地方。天花板上挂着风铃和水晶……很多很多。彭特西勒亚教授（我现在知道这个名字来源于吸血鬼社会学课上学到的亚马逊部落的名人，为了区别，所有人都叫她P教授），她就像是从电影中走出来的（嗯，还是科幻频道的电影）。她有一头很长的金红色头发，淡褐色的大眼睛，凹凸有致的身材让所有男人着迷（连男生也一样）。她的刺青很细，漂亮的凯尔特式花纹沿着她的脸庞环绕到颧骨周围，显得颧骨高得夸张。她穿一条看起来很贵的黑色宽松裤子，草绿色丝质开衫，胸口部位和娜菲丽特的衣服绣着一样的女神图案。现在回想起来（这回不是想埃里克），我才意识到诺兰教授衬衫的胸口袋上也绣着女神图案。呃……

“我生于一九〇二年四月。”彭特西勒亚教授说的话立刻把我们的注意力吸引住了。我是说，拜托，她看上去也就三十岁。“所以一九一二年四月我十岁，我非常清楚地记得那场悲剧。我在说什么，有人知道吗？”

好吧，我完全知道她在说什么，不过并非因为我是个无可救药的历史书虫。我小一点的时候，自以为爱上了莱昂纳多·迪卡普里奥，而我妈妈给我十二岁的生日礼物就是他演的电影的全套DVD。有一部电影我看了很多遍，现在还记得大部分内容（他滑下板子，像根冰棍儿一样飘走那一段，我不知道哭了多少回）。

我看看周围，似乎没人有头绪，于是叹了口气，举起手。

P教授微笑了一下，叫起我：“你说，里德伯德小姐！”

“‘泰坦尼克’号于一九一二年四月沉没。十四日，那个星期天的晚上，船被冰山撞击，没过几个小时，‘泰坦尼克’号于十五日沉没。”

我听见达米恩倒抽了一口气，斯蒂芬·雷轻轻“嘿”了一声。天，我真的看起来笨到了他们听见我答对一个问题也要吃惊的程度？

“我非常高兴新生知道这件事。”彭特西勒亚教授说，“完全正确，里德伯德小姐。悲剧发生的时候，我住在芝加哥，永远也不会忘记报童在街角大喊悲剧的新闻标题。那是个恐怖的事件，特别是这么多人的生命其实是完全可以拯救的。这同样也暗示着一个时代的终结和另一个时代的开端，同样也导致了航海法令众多必需的更改。我们接下来将在瓦尔特·罗德①严肃的调查报告《冰海沉船》中学到这些内容，以及那一夜的传奇事件。罗德不是吸血鬼——很可惜他不是，”她加重语气说，“我还是认为他对那一夜的记叙令人赞赏，他的写作风格和语气有趣且富有可读性。好的，现在开始！每排最后一位同学从教室后面的长柜子里帮你这排的每位同学拿一本书。”

哇，酷！绝对比读《远大前程》②（皮普，埃斯特拉，谁在乎

①瓦尔特·罗德（Walter Lord，1917—2002）：美国作家。

②《远大前程》：英国著名作家狄更斯的作品，皮普和埃斯特拉均是这部小说中的人物。

啊？）有意思多了。我翻开《冰海沉船》，打开笔记本开始记，呃，笔记。P教授开始给我们大声朗读第一章，她真的读得很好。三节课就这么过去了，而这三节我都很喜欢。吸血鬼学校是个除了我每天必须去的地方之外，有没有可能其实是个有趣的地方呢？另外，有没有可能我的朋友都在这里呢？原来的南方高中并不是所有的课都很无聊，但是才不会学亚马逊部落和“泰坦尼克”号（还是跟随一位从沉船时代活到现在的老师！）。

P教授朗读的时候，我瞥了眼周围的同学。大约有十五个人，和其他课差不多人。所有的人都打开书，聚精会神地看着。

我突然看见教室靠后面的地方有一团红色的东西。我刚刚说得太早了——不是所有的人都聚精会神。有个人把头枕在胳膊上，微微发出鼾声。他胖乎乎，长着雀斑的苍白脸庞对着我的方向，嘴巴张着，让我觉得他简直要流口水了。不知道P教授会拿他怎么办，她看上去可不像是会宽容在教室后面睡觉的口水虫的那种好老师，不过她只是继续朗读，间或解释一些二十世纪早期的一手材料，我很喜欢听这些（我很喜欢听二十年代的年轻女性的事，要是我活在那个年代，肯定也是一样的）。下课之前，P教授留了下一章给我们当作业，告诉我们可以自己轻声朗读。这时，她才假装注意到了那个睡觉的学生，他刚醒，抬起头来，脑门儿一边留下了很鲜明的红色睡痕，和他的烙印完全不搭调。

“埃利奥特，我要和你谈谈。”P教授站在讲台后面说。

这孩子不慌不忙地站起来，拖着没系鞋带的鞋蹭到讲台前。

“什么事？”

“埃利奥特，你，文学课，肯定不及格。但更重要的是，你的生活也不及格。男性吸血鬼是强壮、高贵、独特的。无数代以来，他们都是我们的战士和保护者。你不遵守纪律，甚至上课睡觉，又怎么能转变成一个更像战士的人？”

他耸了耸松松垮垮的肩膀。

P教授表情更严厉了："你今天的课零分，我给你一个机会补过，写一篇有关美国二十世纪早期任何重大事件的短文，明天交。"

他什么都没说，转身走了。

"埃利奥特！"P教授的声音因为生气而变得低沉厚重，比起朗读和讲课的声音来说，听起来有点吓人。我能感觉到她散发出来的力量，不禁想她干吗还需要男性来保护。那孩子停住脚步，转过身来面对她。"我没让你走呢。你打算写什么来补今天的零分？"她说。

那孩子只是站在那里，什么都不说。

"回答问题，埃利奥特，现在！"她迸发的命令声在空中盘旋，让我觉得胳膊上的皮肤都被刺痛了。

他又耸耸肩，仿佛完全无动于衷："我大概不会做吧。"

"你的性格，埃利奥特，可不太好。你不只是不求上进，也在拖你导师的后腿。"

他再次耸耸肩，心不在焉地抠鼻子："龙已经知道我怎么样了。"

铃声响了，P教授一脸厌恶地示意埃利奥特离开教室。达米恩、斯蒂芬·雷和我站起身往门外走，埃利奥特没精打采地从我们身边走过，没想到他这么一个懒散的人也能走那么快。他撞上了走在最前面的达米恩。达米恩轻呼一声，脚下一个踉跄。

"讨厌的同性恋，别挡道！"这个废物孩子吼着，用肩膀挤开达米恩，自己第一个冲过门口。

"真该揍这个白痴一顿！"斯蒂芬·雷说着赶紧赶上等着我们的达米恩。

他摇摇头："别担心，埃利奥特这孩子毛病多了。"

"就是，他脑袋进水了。"我说，瞪着这个笨蛋的背影。他的头发一点都不好看。

"脑袋进水？"达米恩大笑，一只胳膊挽起我，另一只挽起斯蒂芬·雷，带着我们穿过像《奥兹国历险记》里一样的走廊。"我喜欢咱们佐伊这一点。”他说，“她会说粗话。”

“进水也不是粗话。”我反驳着。

“我觉得是他在想粗话，亲爱的。”斯蒂芬·雷大笑。

“哦！”我也笑起来，我真的真的很喜欢他说“咱们佐伊”时的感觉，就像我属于……就像我到家了一样。

第十四章　学剑

击剑课太酷了，完全是个惊喜。教室是体育馆里一间像舞蹈练习室的大房间，四面墙全是镜子。一面墙上挂满了怪怪的真人大小的人体模型，让我觉得像立体射击标靶。大家都管兰克福德教授叫做兰克福德·龙，或者只叫他龙。我很快就明白是为什么了。他的刺青像两条龙，蛇形蜿蜒到下巴的部位。龙头在他的眉毛之上，嘴张开，像中间的月牙吐出火焰，很奇特，让人忍不住盯着看。另外，龙是我在这里见到的第一位男性成年吸血鬼。开始我有点迷惑，要是你问我希望男性吸血鬼是什么样子的，我估计会说正好和他相反的类型。老实说，我心里老有个电影明星般的吸血鬼定式——高个子、危险、英俊。你知道，就像范·迪塞尔那种。而龙是个矮个子，他把几近金色的长发在脑后低低扎个马尾，他可爱的脸上挂着温暖的笑容（除了狰狞的龙形刺青之外）。

直到他开始带领我们做热身运动，我才领悟到他的威力。他用古典礼节拿起剑（我后来才知道那叫重剑），就像变了一个人似的，移动起来无与伦比的迅速而优雅。佯攻和猛攻的他不费吹灰之力就把全班所有人，甚至像达米恩这样身手不错的学生，玩弄于股掌之间。热身之后，他把学生每两人分成一组，进行他所谓的“标准”练习。他指定达米恩做我的对手的时候，我不禁松了口气。

“佐伊，欢迎你加入暗夜学院！”龙用亚马逊族传统的礼仪和我握了手，“达米恩会向你介绍击剑服各个部位的用途，我一会儿给你一些资料，随后几天你可以学习一下。我想你以前没学过这项运动吧？”

“没学过。”我说着，又紧张地点点头，“但是我愿意学。我是说，光用剑这事就很酷了。”

龙微笑了一下。“是花剑。”他纠正我说，“你会学到怎么使用花剑。花剑是我们这里用的三种武器里最轻的一种，非常适合女性使用。击剑是少有的几项男女可以完全对等比赛的运动项目。你知道吗？”

“不知道。”我回答，我的好奇心彻底被激起来了。要是能在运动中打倒男人，该有多酷啊！

“因为击剑手的智慧和专注就完全可以弥补本身的弱点，甚至可以变劣势——像力量、伸展距离之类——为优势。也就是说，你可能不如对手强壮，或不如他迅速，但你可以比他聪明，比他用心，这样就可以提高你的胜算。对不对，达米恩？”

达米恩咧嘴一笑：“对。”

“达米恩是我教课几十年来最用心的击剑手之一，他是个危险的对手。”

我用眼角瞥了一眼达米恩，他脸上浮现出骄傲和满意的表情。

“差不多下周开始，我让达米恩教你开始的动作。总之要记住，掌握击剑技巧的基础是动作流畅、转换自然有层次。要是有一点做不到，随后的技巧就很难掌握了，那么击剑手就会一直处于非常严重的劣势。”

“好的，我记住了。”我说。龙微笑了一下，接着去纠正其他组的动作了。

“他的意思是说，如果我一直让你一遍一遍练同样的动作，你可别泄气，也别厌烦。”

“你是不是想说，你可能被我讨厌，但其实背后是有苦衷的？”

“对，部分苦衷是为了帮你可爱的小屁屁变得更挺。”他说着，还厚脸皮地用花剑拍拍我的屁股旁边。

我掴了他一巴掌，又瞪了他一眼。不过在二十分钟的刺——还原——再刺——反反复复——之后，我知道他是对的。明天我的屁股一定会疼死的。

课后我们快速冲了个澡（幸好女生更衣室里有帘子隔开的单间，我们不必像囚犯一样野蛮而可悲地挤在一个开放场所洗澡），然后和其他人一起冲向午餐食堂——就是餐厅。我确实是冲过去的，我快饿死了。

午餐是丰富的色拉自助，从金枪鱼色拉（呃）到少见的奇怪迷你玉米（应该怎么叫呢？玉米笋？微型玉米？转基因玉米？）应有尽有。我堆了高高的一盘，还拿了一块闻起来很香的现烤超大面包，坐到斯蒂芬·雷旁边，达米恩也一起坐了过来。艾琳和肖妮已经在争论该怎么办才能让她们的文学课论文写得更好，虽然她们的论文已经得到九十六分了。

“嗯，佐伊，到你了，埃里克·奈特是怎么回事？”我刚把一大口色拉塞进嘴里，斯蒂芬·雷就开始质问了。她的话立刻让双胞胎姐妹住了嘴，全桌人一起盯着我。

我考虑过要怎么说，也决定不提刚来时看到的不幸的一幕。所以我只是说：“他一直看我。”他们一起向我皱眉，我这才意识到满嘴的色拉让我说出口的是“他一尺赶偶”。我赶紧咽下色拉，重新说：“他一直看我，在戏剧课上，让我有点糊涂。”

“解释一下‘看我’！”达米恩说。

“啊，就是他进教室之后，但是他给我们表演独白的时候特别明显。他表演的是《奥赛罗》，说到有关爱之类的台词的时候，他直直地盯着我。我开始以为只是偶然，但是他开始独白之前就看我，离开教室的时候又看我。”我叹了口气。他们直勾勾地看着我，让我有点不舒服：“别在意，说不定那就是他表演的一部分。”

“埃里克·奈特，是整个学校最火的男生。”肖妮说。

“别提了，他是整个地球上最火的家伙。”艾琳说。

“他没有肯尼·切斯尼火。”斯蒂芬·雷快速地说。

“好吧，除了你的乡村音乐之外！”肖妮冲斯蒂芬·雷皱了皱眉，又转向我，“别让机会从你身边溜走！”

“对，”艾琳附和道，“别错过！”

“错过？我该怎么办？他都还没和我说过一句话。”

“呃，佐伊，亲爱的，你有没有对他笑过？”达米恩问。

我眨眨眼，我对他笑过吗？啊，糟糕，我肯定没有。我敢说我就那么傻傻地坐在那里，说不定还流口水了。好吧，我可能没流口水，不过肯定很呆。“不知道。”我没有说出沮丧的事实，但肯定瞒不过达米恩。

他哼了一声：“下回记得对他笑笑！”

“没准儿再说声‘嗨’。”斯蒂芬·雷说。

“我觉得埃里克也就脸很帅。”肖妮说。

“身材也不错。”艾琳补充。

“直到他甩了阿芙洛狄忒，”肖妮继续说，“我才觉得他脑子里还有点货。”

“不过我们已经知道他下面有货！”艾琳说，眉毛上下摆动。

“啊——哈！”肖妮舔舔嘴唇，好像吃了一大块巧克力似的。

“你们两个真粗俗！”达米恩说。

“我们就是说他有全镇最可爱的屁屁嘛，假正经小姐。”肖妮说。

“好像你没注意到似的。”艾琳说。

“要是你开始和埃里克说话，可能真的会激怒阿芙洛狄忒。”斯蒂芬·雷说。

所有的人都盯着斯蒂芬·雷，好像她刚刚分开了红海之类的。

“这是真的。”达米恩说。

“非常正确。”肖妮说，艾琳点点头。

“据说以前谣传他和阿芙洛狄忒交往过？”我问。

“是呀。”艾琳说。

“谣言传得乱七八糟，不过却是真的。”肖妮说，“所以他现在喜欢你才好呢！”

“你们哪，他说不定只是盯着我奇怪的烙印看。”我脱口而出。

“没准儿不是，你真的很可爱，佐伊。”斯蒂芬·雷甜甜一笑。

“没准儿一开始他只是看你的烙印，后来他觉得你很可爱，于是就一直看你了。”达米恩说。

“不管怎么说，他对你的注意绝对会惹到阿芙洛狄忒。”肖妮说。

“这可是件好事。”艾琳说。

斯蒂芬·雷对她们的评论摆摆手：“别管阿芙洛狄忒还是烙印之类的事情了！下回他对你笑，你就说‘嗨’，这就行了。”

“多简单！”肖妮说。

“太简单了！”艾琳说。

“好吧。”我咕哝了一声，继续吃我的色拉，拼命希望有关埃里克·奈特的事情真如他们想的那么简单。

关于午饭，有件事在暗夜学院和在南方高中或其他学校一样，那就是时间太短了。之后的西班牙语课我上得糊里糊涂。嘉米教授就像一阵小型西班牙旋风。我马上就喜欢上她了（她的刺青有点奇怪，像羽毛，这倒让我想起一种西班牙小鸟），但她让所有人整节课都在说西班牙语，一分钟不剩。我在这里大概需要提一下，我从八年级以后就没再学过西班牙语了，也承认在那之后就没怎么学过，所以我上得很晕。不过我把作业记下来，向自己保证要自学词汇。我讨厌晕头转向的感觉。

骑术研究概论在马场上课。马场是南墙边一排长长低矮的砖结构建筑，旁边是一个巨大的室内赛马区。整个场地充满一种混合着锯末、马匹和皮具的令人愉悦的味道，即使你知道这种“愉悦”的一部分来自便便——就是马粪。

我紧张地和一小群孩子站在畜栏里，一个高个的高年级生一脸严肃地指挥我们等着。大概只有十个左右学生上这门课，都是三年级生。哦，（真是的）那个讨厌的红头发埃利奥特无精打采地靠在墙上，踢着锯末地面，扬起的灰尘让站在他旁边的女生打了个喷嚏。她白了他一眼，退开几步。天哪，他是不是所有人都要惹？还有，他干吗不用点东西（或者梳子）对付一下那头乱卷毛？

马蹄声把我的注意力从埃利奥特身上吸引开。我刚一抬头就看见一匹健壮的黑色母马飞奔入畜栏，在我们前面几步远的地方停住。在我们一群人呆呆地注视下，骑士优雅地跨下马。她一头及腰的浓密长发，是几近白色的淡金色。眼睛是一种奇怪的瓦灰色。她身材苗条，站立的姿势让我想起了沉迷于舞蹈课的女孩，就算没有在跳芭蕾，也笔挺地站着，臀部收紧。一系列错综复杂的绳结图案刺青环绕着她的脸庞——在湛蓝色的图案中，我确定自己看到了跳跃的马匹。

“晚上好！我是雷诺比亚，而这……”她指指母马，睥睨了我们一眼之后才继续说，“是一匹马。”她的声音从墙壁间反射回来。黑色的母马打了个响鼻，仿佛要强调她的话。“你们是三年级的新生，你们被选到我这个班来是因为我们觉得你们可能有骑术方面的潜能。但事实上，也就不到一半人能完成这个学期，剩下的人中也就不到一半能成长为出色的骑手。有什么疑问吗？”不过她并没有留下足够的时间给大家提问题，就继续说，“好，那就跟着我，可以开始了。”她转身快步走到马厩，我们跟在后面。

我想问认为我有骑术潜能的“我们”是指谁，却不敢问出口，只好像其他人一样急急忙忙跟在她后面。她在一排空马厩前停下，每一格外面都放着干草杈和手推车。雷诺比亚转身面对我们。

“马匹和大狗不同，也不是小姑娘浪漫幻想中那种总能和你心意相通的完美好友。”

站在我旁边的两个女孩心虚般地站立不安，雷诺比亚灰色的眼睛斜了她们一眼。

“马匹需要为它们工作，它们需要你的关注、智慧和时间。我们就从工作这部分开始。大厅一头的马具房里有防水靴，快速选好一双，再戴上手套，之后一人选一间马厩，开始干活吧！”

“雷诺比亚教授？”一个胖乎乎、脸很可爱的女孩举起手，紧张地发问。

“叫雷诺比亚就行，我取这个名字是为了纪念古代的一位吸血鬼女王，不需要再加任何头衔了。”

我完全不知道她说的雷诺比亚是谁，就在心里记下，回头去查查。

“说吧，有什么问题，阿曼达？”

“啊，呃，对。”

雷诺比亚扬起一边眉毛看着她。

阿曼达大声咽了口口水：“是要做些什么活，教授……我是说，雷诺比亚，夫人？”

“当然是清扫马厩。把马粪装到手推车里，装满之后就倒到墙边的肥料区。马具房旁边的储藏室有新的锯末可以用。你们有五十分钟时间，我四十五分钟后回来检查马厩。”

我们都不解地眨巴着眼睛。

“可以开始了，马上。”

我们开始工作。

好吧，我知道这听起来真的很奇怪，不过我也不介意清扫马厩。

我是说，马粪也没那么讨厌，尤其这里的马厩显然每天都有人清理。我抓起一双防水靴（那种高筒橡胶靴——非常丑，不过却可以盖住我的牛仔裤直到膝盖位置）和一双手套开始干活。效果很棒的喇叭开始播放音乐——我很肯定是恩雅的最新CD（我妈妈嫁给约翰前也听恩雅，不过他觉得像女巫的音乐，所以她放弃了，这也就是为什么我一直喜欢恩雅了）。我一边清理马粪，一边听着荡气回肠的凯尔特歌词，时间很快就过去了，我倒干净手推车，再添上干净的锯末。我正在把锯末平整地铺在马厩中时，感觉有人直直地盯着我看。

“做得好，佐伊。”

我吓了一跳，赶忙转身，看见雷诺比亚正站在我的马厩外。她一手拿着一把大大的松软的马刷，一手牵着一匹棕色大眼的杂色母马。

“你以前干过这个活吧？”雷诺比亚说。

“我外婆以前有一匹很可爱的灰色阉马，我叫它小兔。”等我说完才觉得自己听起来有多傻，我脸红了，赶忙继续说，“我那时候十岁，它的颜色让我觉得它像小野兔，所以我就这么叫它，后来就一直这么叫了。”

雷诺比亚的嘴角微微抬了抬，极微弱地笑笑：“那么是你打扫小兔的马厩？”

“对，我喜欢骑它，而外婆说要骑马必须事后清理马厩。”我耸耸肩，“所以之后就是我在清理了。”

“你外婆是个聪慧的女人。”

我点点头。

“你介意清理小兔的马厩吗？”

“完全不介意。”

“很好。来见见珀耳塞福涅[1]。”雷诺比亚对着身旁的母马点点头，“你刚才清理的就是它的马厩。”

---

①珀耳塞福涅（Persephone）：即希腊神话中的冥后。

母马走进马厩，径直走向我，口鼻在我脸上蹭蹭，轻轻喷息，痒得我直想笑。我揉着它的鼻子，不禁亲了亲它温暖柔软的口鼻。

“嗨，珀耳塞福涅，你真漂亮！”

看着我和母马互相熟悉彼此，雷诺比亚赞许地点点头。

“还有五分钟下课铃就响了，没必要留堂，不过如果你愿意，我相信你已经获得了给珀耳塞福涅刷毛的特权了。”

我惊奇地停下拍着马脖子的手，抬起头来。“没问题，我留下来。”我听见自己这么说。

“太好了，刷完之后你可以把刷子放回马具房，我们明天见，佐伊。”雷诺比亚把刷子递给我，又拍拍母马，就留下我们两个独处。

珀耳塞福涅把头伸进铺着新鲜干草的金属草料槽中，开始咀嚼起来，我则开始刷它的毛。刷马时的放松感觉我都已经不记得了。两年前，小兔死于严重的突发心脏病，外婆很难过，没有再养别的马。她说“兔子”（她这么叫它）是不可替代的。所以我已经有两年没接触过马了，不过这种感觉马上又回来了——完完全全的，味道、温暖、马咀嚼时发出的平缓的声音，还有用马刷拂过它光滑皮毛时轻轻的刷刷声。

我隐约听到雷诺比亚严厉愤怒的声音，她正在对一个学生大发雷霆，我猜还是那个讨厌的红头发孩子。我从珀耳塞福涅肩头看去，匆匆瞥了一眼一排马厩的另一头。果然是那个红发孩子无精打采地站在他的马厩前。雷诺比亚双手叉腰站在他身边。从我这个角度来看，她已经气疯了。这孩子是不是打算把所有的老师都惹毛了？而他的导师竟然是龙？好吧，龙看起来人不错，不过一拿起剑——呃，我是说花剑——他就会从一个好人变成一个极其可怕的吸血鬼战士。

“那个红发懒孩子肯定是打算找死。”我对着珀耳塞福涅说，继续为它刷毛，它竖起耳朵，喷着鼻息，“对，我知道你同意。想听我关于我们这一代怎么单枪匹马把懒虫和废物赶出美国的理论吗？”它似乎接受了我的话，于是我继续发表关于“别制造废物”的演说……

"佐伊！你在这儿！"

"哦，天哪！斯蒂芬·雷！你吓死我了！"珀耳塞福涅被我的尖叫吓退了几步，我拍拍它以示安慰。

"你到底在干吗？"

我冲它晃晃马刷："你看我像在干什么？斯蒂芬·雷，修脚吗？"

"别胡扯了！满月仪式没几分钟就要开始了。"

"啊，该死！"我又拍了下珀耳塞福涅，赶紧冲出马厩到了马具房。

"你都忘干净了吧，是不是？"斯蒂芬·雷说，在我踢掉橡胶靴子时扶着我的手，帮我保持平衡，我赶紧换上可爱的芭蕾平底鞋。

"没忘。"我撒了个谎。

这时我发现自己也完全忘记了仪式之后暗夜之女的聚会。

"啊，该死！"

第十五章 仪式

在去尼克斯神庙的路上，我注意到斯蒂芬·雷异常安静，我从侧面看了她一眼。她好像有点脸色苍白；我有一种毛骨悚然的感觉。

“斯蒂芬·雷，出什么事了？”

“有点，嗯，难过，也有点害怕。”

“是指什么？满月仪式吗？”我开始有点胃痛。

“不是，你会喜欢仪式的，至少会喜欢这场。”我知道她的意思，是指和之后我被迫要去的暗夜之女的仪式相比，不过我不想谈这个。斯蒂芬·雷的下一句话让暗夜之女的事情显得退居其次了：“上节课有个女孩死了。”

“什么？怎么回事？”

“和其他人一样，她没完成转变，她的身体就……”斯蒂芬·雷停顿了一下，颤抖着说，“就在跆拳道课快下课的时候。她一直在咳嗽，一开始做热身操的时候她就好像喘不过气。我什么也没想到，或许想到了，也故意不在意。”

斯蒂芬·雷冲我微微苦笑了一下，看上去觉得自己有点羞耻。

“有没有什么办法可以救这个孩子？就是，你知道的，在他们开始……”我没说完，只是做了一个模糊的不自然的手势。

“没有，一旦你的身体开始排斥转变，就完全无可救药了。”

“那就别为没有多想那个咳嗽的女孩而难过了！其实你本来也帮不上什么忙。”

“我知道。只是……太可怕了，而且伊丽莎白是那么好的人。”

我心里强烈地震颤了一下：“那个没有姓的伊丽莎白？死了的女孩是她？”

斯蒂芬·雷点点头，使劲儿眨眨眼，明显在克制自己别哭。

“太恐怖了！”我的声音几近自言自语。我还记得她体贴地没有对我的烙印指指点点，她还注意到了埃里克一直在看我。“可是我在戏剧课上还见过她，她身体很好啊！”

“就是这样，头一秒钟你旁边的孩子还看起来一切正常，下一秒就……”斯蒂芬·雷又颤抖起来。

“然后一切事情都还照常进行？就算学校里刚刚有人死了？”我记得去年南方高中一群高二的学生周末出了车祸，死了两个，下周一学校就来了特别辅导顾问，而且这一周所有的体育活动都取消了。

“一切都照常。我们应该去适应这种事情可能发生在任何人头上的想法。你会明白的，所有人都装做什么事都没发生过，尤其是高年级生，只有我们三年级生及伊丽莎白的好朋友，像她的室友，才会作出一些反应。三年级生——就是咱们——应该举止恰当，克服情感。伊丽莎白的室友和最好的朋友可能会躲起来几天，不过他们也被希望要冷静下来。”她压低声音说，“说实话，除非我们真正完成转变，否则吸血鬼根本也没把我们当成同类。”

我思考着她的话。娜菲丽特好像并没有认为我只是个过客，她甚至说过，我满色的烙印是个绝好的兆头，我对自己未来都不像她对我那么有信心。不过我绝对不会说任何听起来像娜菲丽特给我开小灶之类的话。我可不想当个“怪人”。我只想做斯蒂芬·雷的朋友，融入新的团体。

“那真的很可怕。”我只好这么说。

“是啊，不过一旦这事发生，至少很快就过去了。”

我既想知道事情的细节，却又害怕到问都问不出口。

幸好，在我鼓起勇气想追问怕得不敢知道的事情之前，肖妮打断了我们。

“我等了好久。”肖妮站在神庙前面的台阶上叫道，“艾琳和达米恩已经进去帮咱们占位子了，不过你们要知道仪式一开始，他们就不让任何人进了，快点！”

肖妮在前面带路，我们冲上台阶，跑进神庙。一进到尼克斯神庙黑暗的拱顶门廊，我就被一种香甜的烟雾所笼罩，我不自觉地犹豫了一下，斯蒂芬·雷和肖妮都转过身来看我。

“没问题的。没什么可紧张的，也没什么可怕的。”斯蒂芬·雷和我对视一眼，又加了一句，“至少这里没什么。”

“满月仪式很棒，你会喜欢的。哦，当吸血鬼在你额前画五芒星的时候，会说‘赞美神’，你只需要回敬她一句‘赞美神’就行了。”肖妮解释说，“然后你就跟着我们坐到圈里。”她安慰般地对我笑笑，就快步走进灯光微弱的内厅了。

“等等！”我抓住斯蒂芬·雷的袖子，“希望我没有问一个很蠢的问题，不过五芒星不是邪恶之类的符号吗？”

“我原来也这么想的，不过所有这些邪恶之类的东西全是信徒们胡扯的，他们想让你相信……管他呢！”她耸了耸肩，“我甚至不知道他们为什么要让人们——嗯，人类——相信这是邪恶的符号。事实是，无数年以来，五芒星就一直象征着智慧、保护和完美之类善的意图。只不过是个五芒星嘛，其中四个角代表着各种自然元素，而最后一个角代表精神。如此而已，根本没有妖魔鬼怪的含义。”

“控制。”我低喃道，很高兴终于有个可以不谈伊丽莎白和死亡的其他话题了。

“嗯？”

“信徒想控制一切，这种控制中的一部分就是要每个人都永远相信一样的事情。这就是为什么他们想让人们相信五芒星是坏东西。”我厌恶地摇摇头，“没关系，走吧！我其实已经很有准备了，我们进去吧！”

走进门廊深处，我听见了流水声。我们经过一座美丽的喷泉，之后通道就缓缓向左倾斜。一座厚重的石拱门里站着一位我不认识的吸血鬼。她全身穿着黑衣——长裙和钟形袖丝质衬衫。身上唯一的装饰就是胸口绣着的银色女神像。她有一头小麦色的长发，湛蓝色螺旋图案从额前弯月形刺青延伸开来，环绕她无瑕的面容。

“这位是安娜斯塔西亚，教授‘咒语及仪式’课，她也是龙的妻子。”斯蒂芬·雷小声快速地告诉我，然后走到她面前，拳头放在胸口以示尊敬。

安娜斯塔西亚微笑了一下，手指在她端着的一个石碗中蘸了一下，然后在斯蒂芬·雷额前画了一个五芒星。

“赞美神，斯蒂芬·雷。”她说。

“赞美神。”斯蒂芬·雷回应道。她进到烟雾缭绕的房间之前，给了我一个鼓励的眼神。

我深吸一口气，理智地决定把伊丽莎白、死亡以及万一之类全部清除出脑海，至少在仪式这段时间里。我坚定地走到安娜斯塔西亚面前，模仿斯蒂芬·雷的样子，把拳头放在胸口。

我现在看到她用来蘸手指的是一种油。“很高兴见到你，佐伊·里德伯德，欢迎来到暗夜学院，展开你的新生命。”她蘸了油之后在我额前的烙印上画了一个五芒星，并说，“赞美神。”

“赞美神。”我低声说，当湿润的五芒星在我额上完成，我惊讶地发现浑身好似被电流击过般颤抖。

“进去吧，到你的朋友那里去。”她和善地说，“无须紧张，我相信女神在眷顾着你。”

“谢……谢谢您。”我说完便赶紧进入房间。房间里到处都点着蜡烛，天花板上悬着的铁制枝形吊灯上点着一支支巨大的白色蜡烛。沿墙还有一排大烛台上点着更多的蜡烛。神庙里的壁式烛台并不像学校其他地方一样烧着油，罩着灯罩，而是真正点着蜡烛。我知道这个地方从前被信徒们用做纪念圣奥古斯丁[①]的教堂，但是和我见过的教堂一点都不一样。不但只用蜡烛照明，而且连教堂用的长椅都没有。（顺便提一句，我很不喜欢长椅——就不能弄得舒服一点吗？）事实上，这间大厅里唯一的家具就是一张摆在中间的古董木桌，有点像食堂里的那张桌子，只不过这张上没有摆放食物和酒之类。这张桌子上也有一尊女神的大理石雕像，手臂高举，和吸血鬼们衣服上的刺绣非常像。桌上有一座巨大的枝形烛台，烛台上点着粗粗的白色蜡烛，还有几支粗大的熏香。

之后我发现石头地面上有一处凹下去的地方，燃着火焰。火势很大，黄色的烈焰几乎齐腰高，很美，一种一定程度上危险的美，似乎要把我吸引过去。还好，斯蒂芬·雷冲我招手，打断了我的注意，不然我可能冲动地靠近火焰。接着我才发现，沿着房间四周站着一大圈人——有学生也有成年吸血鬼，而我刚刚竟然没有看见他们。我既紧张又充满敬畏，勉强移动脚步，走到圈里，站在斯蒂芬·雷旁边。

“总算来了。”达米恩轻声说。

“抱歉，我迟到了。”我说。

“让她安静一下，她已经够紧张的了。”斯蒂芬·雷对他说。

“嘘！开始了。”肖妮让我们安静。

房间四周黑暗的角落里逐渐显现出四个女性的身影，她们走向众人组成的圈子中的四点，像是指南针上的四个方向。又有两个人影从刚刚我进来的通道进入。其中一个是高个子男人，呃，错了——是男

---

①圣奥古斯丁（St. Augustine，354—430）：基督教著名的神学家、哲学家，被天主教会封为圣者。

性吸血鬼（这里所有的成年人都是吸血鬼），还有，哦天哪，他长得太帅了！现在这位才是人们老旧印象中吸血鬼美貌的最佳范例，我竟然能这么近目睹。他超过六英尺高，怎么看都像是电影明星。

“这就是我选修讨厌的诗歌课的唯一理由。”肖妮低声说。

“这点我同意，好姐妹。”艾琳幽幽地说。

“他是谁？”我问斯蒂芬·雷。

“罗伦·布莱克，吸血鬼桂冠诗人。他是两百年来第一位男性桂冠诗人，真的。”她低声说，“而且他才二十几岁，这是他真实的年纪，并非只是看起来年轻。”

我还没来得及说话，他已经开始朗诵起来。他的声音传来，我的嘴已经震惊到无法控制，唯有倾听。

> 她走在美的光彩中，像夜晚[①]
> 皎洁无云而且繁星满天……

他一边朗诵，一边缓缓走向圈子。同他一起进入房间的女子随着他音乐般的嗓音，开始摇摆，接着在圈子外面优美地舞蹈起来。

> 明与暗的最美妙的色泽
> 在她的仪容和秋波里呈现……

跳舞的女子吸引住了所有人的注意。我突然一震，意识到是娜菲丽特。她穿着丝质长裙，上面缀满细小的水晶珠子，在烛光的照耀下，她的每一个舞姿都令她如夜空的星斗般闪耀。她的舞姿似乎唤醒了古老的诗句（至少我的脑子还在运作，听出是拜伦勋爵的《她走在美的光彩中》）。

---

①本诗的译文取自穆旦先生的译本。

仿佛是晨露映出的阳光
但比那光亮柔和而幽暗。

罗伦背出最后一节诗的时候，娜菲丽特和他不知怎么就最终一起进到了圈子的中央。娜菲丽特从桌子上拿起一只高脚杯，举高杯子，仿佛向圈子里的人们敬酒。

“欢迎尼克斯的子女来到女神的满月庆典！”

成年吸血鬼们跟着应和道：“欢庆相聚。”

娜菲丽特微微一笑，将高脚杯放回桌上，拿起上面点着一支细长的白色塔形蜡烛的烛台。她接下来走到圈子边上一位我不认识的吸血鬼面前，那个位置一定是圈子的起点。这个吸血鬼手放胸口，向娜菲丽特致意，然后转身背对娜菲丽特。

“喂！”斯蒂芬·雷低声说，“娜菲丽特将唤醒各种元素，并设下尼克斯的守护圈，我们要随着他的呼唤依次面对四个方位，首先是东方，代表空气。”

我动作有点缓慢，不过还是和所有人一起转向东方。眼睛余光看见娜菲丽特举起手臂过头，他的声音回响在神庙四周的石头墙上。

“我从东方召唤空气，请你为我们的圈子带来知识，使我们的仪式充满学识。”

娜菲丽特一开始祈祷，我就感觉到空气变化了。空气流动环绕着我，吹乱我的头发，耳边也响起了风吹过树叶的声音。我看看四周，以为会看到所有人都被一阵小旋风环绕，但谁的头发都没有被吹乱。真奇怪！

站在东边的吸血鬼从自己的裙褶里取出一支粗粗的黄色蜡烛，娜菲丽特将蜡烛点燃。吸血鬼把蜡烛举向空中，随后将闪烁的蜡烛安放在脚边。

“向右转，这边代表火。”斯蒂芬·雷再次低声说。

大家转身，娜菲丽特继续祈祷："我从南方召唤火，请你为我们的圈子点亮意志，使我们的仪式充满凝聚力和力量。"

原本轻拂的风被一股热量所取代。倒也没有很难受，很像你踏进充满热水的浴缸里感觉到的热度，不是很烫，但可以让你全身微微出汗。我瞥了一眼斯蒂芬·雷，她头微仰，眼睛闭起，脸上也没有任何汗渍。热度突然升高，我看向娜菲丽特，她点燃彭特西勒亚拿着的一支大红烛。和面对东方的吸血鬼一样，彭特西勒亚也供奉般地举高蜡烛，然后把蜡烛放在脚边。

这回不用斯蒂芬·雷捅我，我就自觉向右转，面向西方。不知为什么，我不但知道需要转身，还知道下一个要呼唤的元素是水。

"我从西方召唤水，请你为我们的圈子滋润同情，使满月之光赐予我们疗伤与理解。"

娜菲丽特点燃面对西方的吸血鬼手中的蓝色蜡烛，吸血鬼举起蜡烛并放置在脚边。而同时我的耳中回荡着海浪的声音，大海的咸味也充满我的鼻腔。我迫不及待地转向北方，知道我将要拥抱大地。

"我从北方召唤大地，请你为我们的圈子生长化身，今夜的祝福与祈祷将结出累累硕果。"

瞬间，我感觉到了脚下的柔软的茵茵绿草。闻到了干草的气息，听到鸟鸣声。一支绿色蜡烛被点燃，放置在代表土的吸血鬼脚边。

我本该害怕加诸我身上的各种奇怪感受，但各种感受却是难以体察的轻柔——我感觉很舒服！当娜菲丽特转向面对房间中央的火堆时，我们大家也都转向中央。此时我必须紧紧抿住嘴唇，才不会笑出声来。那位帅到不行的诗人隔着火堆与娜菲丽特相对而立，我看见他手中拿着一支紫色的大蜡烛。

"最后，我召唤精灵完成我们的守护圈，请你将我们紧密联系，好让你的子女共同繁荣。"

不可思议，诗人将蜡烛在火堆中点燃，放在桌子上时，我感觉到自己的精神在跳跃，就像鸟儿在我胸口振翅。然后娜菲丽特开始在圈子中行走，与我们对话，与我们对视，用话语包围我们。

“现在正是满月时分，万物均有盈亏，也包括尼克斯的子女，她的吸血鬼。但今晚，生命、魔法和创造的力量都达到巅峰，和我们女神的月亮一样。现在是创造的时刻……实行的时刻。”

我看着娜菲丽特说话，心跳得很厉害。这才开始意识到，她其实是在布道。这是宗教仪式，但守护圈的铸造和娜菲丽特的话语同时触动着我，而我以前没有被任何布道哪怕稍微感动过一点。我瞥了眼四周，或许是因为场所的原因吧，房间里香烟缭绕，烛光里闪耀着魔力。娜菲丽特是完美的大祭司，美貌的她光芒四射，她的声音摄人魂魄，在场的人没有像在教堂里一样倚在长凳上睡觉，也没有人偷偷玩数独。

“此时此刻，凡尘和女神奇异美丽国度之间的面纱变得更薄。今夜我们可以轻易穿越世界的边缘，知晓尼克斯的美丽与魅力。”

我可以感觉到她的话语清洗着我的肌肤，锁住了我的喉咙。我战栗着，额上的烙印处突然变得温暖酥麻。随后，诗人用他低沉有力的嗓音开始说话：

“此时正是天上人间交融、四维时空交错的时刻。生命与传奇生生不息。我们的女神了解，她的伴侣厄瑞波斯也了解。”

他的话让我对伊丽莎白的死感觉稍好了些。我突然觉得没那么害怕了。死亡只是我们所处的自然世界中的一部分。

“光……暗……日……夜……死……生……均被精灵和女神的掌控编织在一起。我们如能保持平衡，仰仗女神，即可习得将月光的咒语编织成纯粹的魔力物质，并在我们有生之年一直保存下去。”

“闭上眼睛，尼克斯的子女们！”娜菲丽特说，“向女神许下一个隐秘愿望。今夜，当世界之间的面纱变得轻薄——魔法在尘世行进——尼克斯也许能保佑你的愿求，将你的迷梦变为现实。”

魔法！他们真的在祈求魔法！会有用，或者说可能有用吗？世界上有真正的魔法吗？我想起了我的精神曾经见过话语，以及女神用她可见的声音呼唤我到洞穴中，亲吻我的前额，永远地改变了我的人生。而且就在不久之前，我感受到了娜菲丽特召唤元素的力量。这不是我想象的，我根本想象不出来。

我闭上眼睛，想着似乎环绕在我身边的魔法，然后将愿望送入夜空。*我隐秘的愿望是希望我能属于一个——我终于找到的一个没人能夺走的家。*

除去烙印上不寻常的热度，我的头感觉轻松，还有一种难以名状的快乐。此时娜菲丽特叫我们睁开眼，声音还是一样的温柔而有力——她既是女性，又是战士——她继续进行仪式。

“此刻正是在月光中隐身旅行的时刻，倾听非人类也非吸血鬼的音乐，感受清风抚慰的唯一时刻。”娜菲丽特轻轻向东方颔首，“感受犹如生命中第一颗火花的闪电。”她的头又转向南方，“此刻在永恒之海中徜徉，温暖的雨滴安慰我们，青翠的大地环绕我们，守护我们。”她顺序朝向西方和北方。

每一次娜菲丽特提到元素的名称时，我都能感觉到浑身涌起甜美的战栗。

接下来代表元素的四位女子同时走到桌前，和娜菲丽特、罗伦一起，每人都端起一只高脚杯。

“夜之女神和满月万岁！”娜菲丽特说，“福泽源泉的黑夜万岁！今夜我们感谢您！”

四位女子仍然手持高脚杯，退回到她们在圈子中的位置。

“以强大的尼克斯之名。”娜菲丽特说。

“以及厄瑞波斯之名。”诗人补充道。

“我们在你神圣的守护圈里向你祈祷，求你赐予我们同自然对话的知识，与自由的小鸟共同翱翔，或如猫科动物般有力而优雅，找到生命中的喜悦，激荡起我族人的至高生活。赞美神！”

我忍不住一直在笑着。我以前从未在教堂听过这些，当然也从未感受过如此的活力！

娜菲丽特从高脚杯中啜饮一口，然后将酒杯交给罗伦，罗伦也啜饮一口，并说“赞美神”。四位女人也模仿他们的动作，快速沿着圈子走动，让每个人，不管是新生还是成年吸血鬼都从高脚杯中饮下一口。轮到我时，我很高兴见到是熟悉的彭特西勒亚给我酒杯和祝福。酒是红色的，我本来以为会苦，就像我有一次尝到的妈妈珍藏的红酒的味道（我当然不喜欢喝），但是一点都不苦，甜甜带点辛辣的味道让我的头脑更轻松。

每个人都喝过之后，高脚杯都被放回桌上。

“今夜我希望每个人多少花点时间在月光下独处。让月光使你振作，帮助你记得你是多么的不同寻常……或正在变得不同寻常。”她冲包括我在内的几个新生微笑了下，“沉迷于你的独一无二，陶醉于你的力量。我们因为天赋而与世俗不同。永远别忘记，你可能会忘记，但世俗肯定不会忘记。现在让我们散开圈子，去拥抱夜晚吧！”

娜菲丽特以与刚刚相反的方向分别谢过每种元素，吹灭蜡烛，送走它们。她这么做的时候，我有点伤感，好像在与朋友告别。然后她以一句话作为结尾：“仪式结束。欢庆相聚，欢庆离别，欢庆再相聚！”

众人应和道：“欢庆相聚，欢庆离别，欢庆再相聚！”

就这样，我第一次参加的女神仪式就这么结束了。

圈子很快就解散了，比我希望的还要快。我想站在那里，思索我刚刚感受到的神奇体验，特别是在召唤元素时候的感受，但不可能了。我被喧闹的人群拥出神庙。很高兴所有人都只顾说话，没人注意到我有多安静，我无法向他们解释刚刚发生在我身上的事情。天哪！我自己都无法向自己解释。

“嘿，你觉得今天他们还会不会提供中餐？我超爱上次满月后他们准备的菌菇。”肖妮说，“更别提我的签饼[①]里说‘你会成名’，多酷！”

“我饿死了，已经管不了他们给什么吃的了。”艾琳说。

“我也是。”斯蒂芬·雷说。

“我们难得意见完全一致。”达米恩一边说一边挽起斯蒂芬·雷和我的胳膊，“我们去吃东西！”

我突然间想起来：“呃，各位。”仪式带给我的那种美好的酥麻感觉消失了，“我不能去，我还得……”

“我们都傻掉了。”斯蒂芬·雷使劲儿拍了下额头，发出啪的一声，“都忘干净了。”

“啊，可恶！”肖妮说。

“讨厌的巫婆！”艾琳说。

“要不要我帮你留一盘吃的？”达米恩贴心地说。

“不用了，阿芙洛狄忒说她们那里有吃的。”

“没准儿是生肉。”肖妮说。

“就是，说不定还是她用下流的蜘蛛网抓到的孩子的肉。”艾琳说。

“她指的是用她的两条腿抓到的孩子。”肖妮解释道。

“停，你们别再吓佐伊了！”斯蒂芬·雷用胳膊肘把我往门边推，“我告诉她娱乐厅怎么走，咱们待会儿在餐厅见。”

到门外之后我说：“好吧，告诉我他们说的生肉是开玩笑的。”

“他们在开玩笑？”斯蒂芬·雷不确定地说。

“好极了！我连三成熟的牛排都不喜欢。要是她们真给我生肉该怎么办？”我尽可能不去想可能会是哪种生肉。

“我包里好像有胃药，要不要？”斯蒂芬·雷问。

“要。”我说，已经开始恶心了。

---

①签饼：美式中餐里提供的一种薄脆饼，内有写有预言的小纸条。

第十六章　饮酒

“那儿就是了。”斯蒂芬·雷停下来，表情看上去不安，有点愧疚。我们前面是一条通往小山顶上的一栋圆形砖结构建筑，那里可以俯瞰到校园东边的围墙。巨大橡树的阴影环绕着建筑阴影，我只能隐约分辨出入口处的一点灯光，也不知是煤气灯还是蜡烛。长长的拱形像是彩绘玻璃的窗户中也没透出一点亮光。

“好了，嗯，谢谢你的胃药。”我尽力使声音听起来勇敢，“给我占个位子，这里肯定不会花太久的时间，我应该可以回去和你们一起吃晚饭。”

“别着急，真的，没准儿能碰上你聊得来的人。要是这样就别担心，我不会生气的，回头我告诉达米恩和双胞胎你是在侦察敌情。”

“我才不要加入她们！斯蒂芬·雷。”

“我相信你。”她说，但睁大的圆眼睛里却透出怀疑。

“那就一会儿见。”

“好，一会儿见。”她说完便转身回主楼去了。

我不想看着她离开，她看上去像被打败的落单小狗。于是我爬上台阶，告诉自己没什么大不了——总不会比我那芭比姐姐带我去拉拉队夏令营更糟了（我都不知道那时候在想什么了）。至少就算惨败也不会持续一个星期。她们没准儿也会围个很酷的圈子，像娜菲丽特那样做点奇特的祈祷，然后休息吃饭。这样我就可以装模作样笑笑，然后开溜。太容易了！

厚木门两侧的火把是用煤气点燃，和尼克斯神庙里壁式烛台的蜡烛不同。我伸手摸向沉重的铁制门环，但是，随着一声像叹息一样的烦人声响，门从里面开了。

“欢庆相聚，佐伊。”

哦，我的天，是埃里克。他穿一身黑衣，黑色鬈发和深邃的蓝眼睛让我想起克拉克·肯特——嗯，好吧，没有他那书呆子眼镜和讨厌的向后梳的头发……所以，我估计，他其实让我想起的（又来了）是超人——嗯，没有斗篷、紧身衣和大大的“S”……

胡思乱想的我在他用蘸了油的手指在我额头画出五芒星形时瞬间安静下来。

“赞美神。”他说。

“赞美神。”我回答道，要是我的声音没有变得粗糙、破音和变调，就谢天谢地了。啊，天哪，他闻起来很香。我说不上是什么味道。但并不是那种疲劳男人成吨用的古龙水味。他闻上去像夜晚雨后的森林，有种泥土的清新……

“你可以进来了。”他说。

“哦，呃，谢谢。”我自作聪明地回答。刚踏进室内，我就停下了。里头是一间很大的房间。圆形的墙壁垂着黑天鹅绒帘子，将窗外的银色月光完全遮蔽住了。在厚重的窗帘后面能看出一些奇怪的形状，我吓了一跳，后来才意识到那是娱乐厅。她们肯定把电视、游戏用具之类推到墙边，再盖起来，让一切显得……嗯……毛骨悚然。之后我的注意力被房间中的圈子本身吸引住了。圈子在房间中央，由装在红色玻璃容器里的蜡烛组成，就像在杂货店的墨西哥食品部可以买到的那种祈祷用的蜡烛，闻起来有种玫瑰和老妇人的味道。至少有上百支蜡烛，诡异的红晕照亮了松散地站在圈外说笑的孩子们。孩子们都穿着黑衣，我立刻就注意到她们都没穿着有代表年级刺绣的衣服，但脖子上都闪耀着一条粗粗的银链子，悬着一个奇怪标记的坠子。看着像两弯背对着背的月牙迎着一轮满月。

“你来啦，佐伊！”

阿芙洛狄忒的声音先于她本人到达。她穿着黑色长裙，缀满了玛瑙的小珠子，奇怪的是让我觉得像是那件美丽长袍的黑色版本。她戴着和其他人的一样的项链，只不过更大，而且镶着一圈像是石榴石的红色宝石。她的金发松松垂下，像一方金色面纱围着她。她真是很漂亮。

“埃里克，谢谢你迎佐伊进来，下面就交给我吧！”她语气如常，还把修理得很好的手指搭在埃里克的胳膊上，按说可能只是个友好的姿势，但是她的脸上却是完全不同的意思。她的表情僵硬又冷酷，眼神似乎要燃进他的眼睛里。

埃里克只是看了她一眼，断然把胳膊移开不让她碰，然后又冲我微笑了一下，看也不看阿芙洛狄忒，就走开了。

太好了！我现在最不该的就是介入他们讨厌的分手过程，但是我却禁不住眼睛追随他的脚步穿过房间。

我真傻，还那么傻。叹气。

阿芙洛狄忒清清嗓子，而我尽力（没成功）不看上去像做了坏事被抓到的样子。她充满恶意的狡猾的眼神说明她毫无疑义地注意到了我对埃里克的兴趣（以及他对我的）。然后，我又开始想知道她是不是清楚昨天在过道里的人是我。

好吧，这也不可能去问她。

“你得快点了，我带了给你换的衣服。”阿芙洛狄忒快速地说，一边示意我跟着她进女卫生间。她回头给我一个厌恶的眼神。“你可不能就穿成这样来参加暗夜之女的仪式！”一进卫生间她就粗鲁地递给我一件原本挂在壁板上的衣服，把我推进隔间里，“你可以把自己的衣服挂在衣架上，回头就这么拿回宿舍去。”

似乎不容我辩驳，总之，我觉得自己已经够像个局外人了。穿着的不同让我觉得自己像是打扮成鸭子一样出现在聚会上，但没人告诉我这不是化装舞会啊，所以其他所有人都穿着牛仔裤。

我迅速脱掉自己的衣服，从头顶套上黑衣服，发现合适的时候松了口气。这件衣服很简单但比看上去好看，用的是紧身不起皱的柔软面料，长袖，几乎露肩的圆领（好在我今天穿着黑色内衣）。领口、长袖边上和及膝的褶边下摆上，都缀着红色的小亮珠，非常好看。我重新套上鞋子，一边很高兴地想着，一双好看的芭蕾平底鞋可以配任何的穿着，一边走出隔间。

“嗯，至少合适。”

但我注意到阿芙洛狄忒看的不是我的衣服，而是我的烙印。这完全把我惹恼了。好吧，我的烙印是满色的——你已经适应了吧！不过我什么都没说，我想，这毕竟是他的“聚会”，而我是客人。直说就是：我寡不敌众，还是表现好点吧！

“我要主持仪式，当然啦，所以我会很忙，没办法老带着你。”

好吧，我本应该闭上嘴的，但是她磨光了我最后的一点矜持。“你瞧，阿芙洛狄忒，我不需要你带着我。”

见她眯起眼睛，我作好了应对她发飙的准备。但她只是毫无善意地微笑了一下，看上去像一只咆哮的狗。我不是要叫她母狗，不过这个比喻实在太精确了。

“你当然不需要人带你，你会轻松度过这场小仪式，就像你轻松度过这里的一切。我说，毕竟，你是娜菲丽特的新宠。”

太好了！除了埃里克的事和我奇怪烙印的事，她最嫉妒的原来是娜菲丽特是我的导师。

“阿芙洛狄忒，我可不觉得我是娜菲丽特的新宠。我只是个新生儿。”我尽力让自己的话听起来有道理，甚至微笑了一下。

“不管怎么样吧。你准备好了没有？”

我放弃和她讲道理，点了点头，希望整个仪式赶紧结束。

“好，我们走！”她带我走出卫生间，穿过圈子，路上我认出其中两个女孩就是“该死的女巫”，在自助餐厅时她的跟班。她们没有皱着脸摆出刚吃了柠檬的表情，而是对我笑得很亲切。

不，我可不会上当！不过我还是挤出一个笑容。身在敌营，还是要和她们打成一片，低调一点，再加上（或者）装傻。

“嗨，我是恩友。”个子高点的那个说。她，当然也是金发，但她的长波浪发更像是麦浪色。虽然烛光下我很难确定这种陈词滥调是不是恰当的描述，但我还是相信她不是天生的金发。

“嗨！”我说。

“我是戴诺。”另一个女孩说。她有很明显的混血特征，混得非常漂亮，浓奶油咖啡色的皮肤，华丽的浓密鬈发，大概不管空气怎么潮湿，也不会毛糙。

她们两个完美得让人觉得恐怖。

“嗨！”我又打了个招呼。虽然觉得快得幽闭恐惧症了，但还是走进了她们在中间给我留出的地方。

“你们三个仪式上好好享受。”阿芙洛狄忒说。

“哦，我们会的！”恩友和戴诺一起回答，她们三个交换了个眼神，让我毛骨悚然。在我理性判断力战胜骄傲逃出房间之前，我赶紧转移注意力。

现在我可以很清楚地看到圈子里的情形了，这里和尼克斯神庙还是很相像，只是这里的桌子旁边还有把椅子，有人坐着。嗯，像是坐着。事实上，这个人瘫在椅子上，斗篷上的兜帽盖住了脸。

呃……嗯……

不管怎么说吧，桌子上铺着和墙壁上一样的黑色天鹅绒，上面摆着一座女神塑像、一盆水果和面包、几只高脚杯和一个水壶，还有一把刀。我眯起眼睛仔细看，确定我看得没错。对。是刀——骨质的刀把，令人不快的弧形刀刃看上去太过锋利，要是用来切水果或面包也太危险。一个我在宿舍见过的女孩正在点燃几支粗粗的香，这些香插在桌上雕刻华丽的香台上。这个女孩完全不理会椅子上瘫着的人。天，那孩子睡着了？

空气中马上就烟雾弥漫，我发誓，青灰色的烟雾在房间里盘旋，如鬼影一般。我本以为会闻到像在尼克斯神庙中一样的香甜气息，但当一缕青烟钻入鼻子，我惊异地闻到了一股苦味，一种熟悉的苦味。我皱眉，想尽力想出点什么……要命，是什么呀？很像月桂叶，还混合了丁香的味道。（回头我得感谢里德伯德外婆教我认识香料和味道。）我又吸了吸气，被这气味所吸引，但我觉得头有点晕。奇怪。好吧，这种香真怪，在弥漫到房间之后似乎变了味道，像昂贵的香水会随着使用者的不同而变化味道。我又吸了一口。对，丁香和月桂，但尾调还有其他味道，让香味最后变得浓郁而苦涩……黑暗和神秘，邪得诱人。

邪气？那我知道了。

嗯，天哪！她们用混着香料的大烟熏香。不敢相信。一直以来我都抗拒同龄人的压迫不碰这些，就算是在聚会之类场合，他们最礼貌地邀请我尝尝粗糙的自制烟卷，我也一概拒绝。（我说啊，拜托，卫不卫生啊？而且我干吗要碰这些会让我一直想吃垃圾零食的有毒物质啊？）而现在，我站在这里，吸着烟。叹气，凯拉不会相信的。

接下来，我又疑心重重起来（大概是被烟侵袭的又一种副作用），我环视圈子四周，总觉得会看见一位教授准备冲进来把我们都拖去……去……我不知道，某种说不出的恐怖地方，就像把所有捣蛋的青少年都送去徒步夏令营。

但是，幸好这里的圈子和尼克斯神庙不同，没有成年吸血鬼，只有二十个左右的孩子。他们悄声交谈，像是这种完全非法的烟根本不算回事。（脑袋都被烟毒坏了。）我尽量浅浅地呼吸，一边转向右边的女孩。要是怀疑（或害怕），就说说话吧！

“嗯……戴诺是个……嗯……很特别的名字。有什么特别的意义吗？”

“戴诺的意思是可怕。”她甜甜地笑着说。

我另一侧的高个金发女孩很有兴趣地插嘴道：“恩友的意思是好战。”

“哦！”我尽力让自己礼貌一点。

“对啊，彭非瑞多，意思是黄蜂，就是点香的那个。”恩友解释道，“我们的名字都是从希腊神话里来的。她们是戈尔贡三姐妹和斯库拉[①]。神话里说她们是共用一只眼睛的女巫，但是我觉得那纯粹是父系社会里想要打击女强人的人类男性写的鬼话。”

“真的？”我不知道该说什么，真的。

“是啊。”戴诺说，“人类男人太差劲儿。”

“他们都该死。”恩友说。

刚说起这个可爱的想法，音乐声突然响起，无法（幸好）再交谈了。

好吧，这音乐很烦人。强烈、低沉的节奏，既古代又现代，好像有人把一首讨厌的扭屁股歌和一首部落求偶舞混在了一起。接下来让我惊讶的是，阿芙洛狄忒开始围着圈子跳起舞来。对，我猜你会说她很辣。我的意思是说，她身材很好，像《芝加哥》里凯瑟琳·泽塔-琼斯一般舞动。不过这对我没用。我不是想说，我不是同性恋（虽然我的确不是呀）。不起作用是因为这舞蹈看着像对娜菲丽特那段《她走在美的光彩中》的粗糙模仿。要是这音乐是首诗的话，也只能是类似《扭屁股女人》这样的。

就在阿芙洛狄忒扭腰摆臀的时候，自然，所有的人都盯着她看，所以我借机环视圈子，假装我没在正经寻找埃里克，直到……哦，该死……我发现他差不多就在我正对面。他在看着我。在我还没想好是

①戈尔贡三姐妹和斯库拉：均是希腊神话中著名的女妖。

要把眼神移开，还是冲他笑笑或招个手（达米恩说要对他笑，而达米恩自称是个男性专家）什么的时候，音乐停了，而我又看向了阿芙洛狄忒。她站在圈子中间的桌子前。有目的地一手挑出一支紫色的柱形蜡烛，一手拿起刀。蜡烛已经点燃，她像举着火炬一样擎着蜡烛，走到圈子的另一头。我注意在一堆红蜡烛中间，有一支黄色的。我不用“好战”或“可怕”（天哪）提醒，就转向了东方。一阵风吹乱了我的头发，我用余光看到她点燃了黄色蜡烛，又举起刀，在空气中划出一个五芒星，她念道：

暴风啊，吾以尼克斯之名召唤汝等，
祈求汝之赐福，
令魔法在此得以施展！

我得承认，她很不错。虽然没有娜菲丽特那么有力量，但明显她还是练习过控制声音，语音丝滑流畅。我们转向南方，她则走到一堆红色蜡烛中的那一支柱形大蜡烛前，我已经能感觉到火焰的力量和魔法圈的力量刷过我的皮肤。

雷火啊，吾以尼克斯之名召唤汝等，
风暴与魔法力之使者，
助吾之魔法于此施展！

我们又一次随着阿芙洛狄忒转方向，我脸有点发烫，竟然被红蜡烛中的一支蓝色蜡烛吸引住。这真的把我吓到了，我得克制自己站在圈子上，免得踏进去和她一起召唤谁。

骤雨啊，吾以尼克斯之名召唤汝等，
将汝浸淫之力，现于

此至尊祭祀！

我到底怎么了？我现在在出汗，而不像之前的仪式上一样是一点发热而已，我额上的烙印在发烫——火烧火燎地烫——我发誓我耳中听到了大海的咆哮声。我麻木地又向右转。

深沉润泽之地。吾以尼克斯之名召唤汝等，
大地倾移，势如雷鸣，
必得汝助吾于此！

阿芙洛狄忒再次用刀在空中划起来，我感觉右手掌麻痒难耐，仿佛急于握住刀，也在空气中挥舞。我闻到了刚刚割过的青草气息，听到夜鹰的哀鸣，仿佛隐形地栖息在我身边。阿芙洛狄忒回到圈子中央，将仍在燃烧的紫色蜡烛放回桌中间的原位，完成守护圈的设立。

不羁之英灵，吾以尼克斯之名召唤汝等，
回应吾之召唤！伴吾于此至尊祭祀
赐予女神之力！

不知什么原因，我知道她接下来要做什么。我能在我的意识里——在我自己的灵魂里——听到话语。当她举起高脚杯，开始绕着圈子行走，我感受到了她的话，即使她没有娜菲丽特的优雅与力量，她的话还是点燃了我，仿佛我从心里燃烧起来。

“此时此刻正是我们女神的月亮圆满之时，为今夜最壮观的一刻。古人知道夜的神秘，用夜来强化自身……撕开不同世界之间的面纱，前往如今我们只能在梦中得见的世界探险。秘密……神秘……魔力……吸血鬼美与力量真正的源泉——不被人类的律法所桎梏。我们并非人类！”说到这里，她的嗓音又在墙壁间回荡，和刚才的娜菲丽特很像，“而所有的暗夜子女今夜仪式上所求的与我们过去一年在满月时祈求的一样，就是解放我们内在的力量，如同强大的野生猫科动物，我们知道这些动物的柔软轻盈，不被人类的锁链和牢笼所缚，也不被他们的无知的弱点所限。”

阿芙洛狄忒正好停在我面前。我知道自己脸颊发红、呼吸急促，和她一样。她举起高脚杯递给我。

“喝吧，佐伊·里德伯德，和我们一起祈求尼克斯。以我们所得的血与肉、伟大转变的烙印——她已触摸你的权利来祈求。”

是的，我知道。我大概应该说不。但怎么说？我突然间不想说了。我绝对不喜欢也不信任阿芙洛狄忒，但她说的是不是基本都对呢？我母亲与继父对烙印的反应又回到了我的记忆中，还有凯拉害怕的眼神及德鲁和达斯汀的厌恶。而且自从我走后，没人给我打电话，甚至短信都没有。他们就把我丢在这里自生自灭。

这让我伤心，但也让我生气。

我从阿芙洛狄忒手中抓过高脚杯，喝了一大口。是葡萄酒，但味道和之前满月仪式上的不同。这酒也是甜的，但有种我从来没尝过的香料味。酒在我的嘴里发作开来，伴着一股发热的又苦又甜的感觉滑下喉咙，我晕乎乎地想要不停地喝下去。

“赞美神。”阿芙洛狄忒低声对我说，把高脚杯夺了回去，溅了一点红色的液体在我手指上。她耀武扬威地冲我僵硬一笑。

“赞美神。”我不自觉答道。脑子还陶醉在酒的味道里。她走到恩友前，把高脚杯给她，而我忍不住把手上的酒舔了个干净。太好喝了！闻起来……闻起来很熟悉……但我晕头转向，没办法集中精力想想我以前在哪里闻过。

没花多少时间阿芙洛狄忒就转了一圈，把酒给每个孩子尝了一下。我看着她又向我靠近，希望能在她回到桌子前再多喝点。

“伟大又神奇的夜和满月女神，她穿越雷电与风暴而来，引领精灵们与长老，美丽的和丑陋的乃至最古老的神祇也要顺从、相助我们的祈祷。将你的能量、魔力和力量灌注于我们之上！”

之后她倾倒高脚杯，而我嫉妒地看着她喝尽最后一滴。她喝完后，音乐又响起。她随着音乐退到圈子周围，边跳边笑着将每一支蜡烛吹灭，和每一种元素告别。不知怎的，她沿着圈子移动，我的视线开始模糊起来，看着她荡漾变化的身体，仿佛我又在看娜菲丽特——只不过是一个年轻稚嫩的大祭司。

“庆祝相聚，庆祝别离，庆祝再相遇！”她最后说道。我们也回应她。我眨眨眼，视线逐渐清晰，像娜菲丽特的阿芙洛狄忒的奇怪画面逐渐淡去。烙印上火烧般的感觉也淡去了。但我仍在舌尖品味着酒的滋味。这太奇怪了，我不喜欢酒，真的，我不喜欢酒的味道。但这种葡萄酒有某种异乎寻常的美味……嗯，甚至比歌蒂娃牌松露黑巧克力（我知道，这难以置信）还美味。而我仍然说不清为什么会觉得熟悉。

圈子解散，所有人又开始说笑起来。头顶的煤气灯大亮，刺得我们直眯眼。我看向圈子对面，不知道埃里克是不是还有可能在看我，而桌旁的一点动静吸引了我的目光。那个瘫在椅子上，而且仪式中一动不动的人终于有了点动作。他猛地晃了晃，笨拙地把自己撑起来坐直。黑斗篷上兜帽掉下来，而我赫然看见一头亮橘红色、浓密但难看的头发和一张苍白的、胖胖的、长满雀斑的脸。

是那个讨厌的埃利奥特！他在这里真是太……太奇怪了。暗夜的儿女要他在这里干什么？我又环视一了下房间四周。对，和我猜的一样，这里没有一个丑陋的、傻乎乎的人出席。这里的每一个人，我是说除了埃利奥特之外的每个人都很漂亮，他绝对不属于这里。

他眨眨眼，打了个哈欠，看上去像是烟吸多了。他抬手抹掉了鼻子上的什么东西（说不定是他挖出来的鼻屎），而我看见他手腕上包着厚厚的白色绷带。他怎么……

一股毛骨悚然的感觉爬上脊背。恩友和戴诺站得和我不远，正兴高采烈地和一个她们叫做彭非瑞多的女孩聊着。我走过去，等她们谈话暂告段落。我的胃纠结得要命，但我不露声色，我向埃利奥特的大致方向点头微笑了一下。

“那孩子在这里做什么？”

恩友瞥了一眼埃利奥特，转转眼珠：“他不过就是今晚我们的冰箱。”

“真是个废物！”戴诺说完，不屑地冷笑了一下。

“他基本上就是个人。”彭非瑞多厌恶地说，“怪不得只能当点心台。”

我的胃简直都要翻倒出来了：“等等，我不明白，什么冰箱、点心台？”

“可怕”的戴诺傲慢地把她巧克力色的眼珠转向我：“我们就是这么叫人类的……冰箱、点心台。你知道的……就是早餐、午餐和晚餐。”

“或者三餐之间的点心。”“好战”恩友的声音特别轻快。

“我还是不……”我刚想说话，但被戴诺打断。

“哦，得了！别告诉我不知道酒里放了什么，别装做你不爱喝！”

“就是，承认吧，佐伊！太明显了！你差点都喝光——你比我们都想要更多。我们看见你舔手指了。”恩友说，倾身靠到离我很近的地方，盯着我的烙印，“这让你有点另类，是不是？某种程度来说既是新生也是成年吸血鬼，二者合一，所以你才不光只想尝尝，还想喝更多那孩子的血。”

“血？”我的声音变得我自己都认不出来。“另类”这个词在我脑中不断回响。

“是啊，血。”“可怕”说。

我立刻感觉忽冷忽热，别过头不去看她们自作聪明的脸，却正好对上阿芙洛狄忒的视线。她正在房间对面和埃里克说话。我们直视对方，她慢慢地故意笑了笑。她又拿起高脚杯，用难以察觉的动作举起，向我敬酒，然后喝了一口，又继续嘲笑起埃里克刚刚说的话。

我保持镇静，向“好战”、“可怕”和“黄蜂”编了个差劲儿的借口，冷静地走出房间。一关上娱乐厅厚重的木门，我就像个发疯的盲人一样乱跑起来。我不知道该去哪，只想要离开这里。

我喝了血——讨厌的埃利奥特的血——而我竟然很喜欢！更糟的是，我觉得这种好闻的味道熟悉是因为我在希斯的手流血的时候闻过。吸引我的并不是某种新古龙水，而是他的血。而且昨天我在走廊里又闻到了，当阿芙洛狄忒划破埃里克的大腿时，我也想舔他的血。

我是个怪物。

终于，我喘不过气来，倒在学校围墙冰凉的石头上，大口喘息着，差点把内脏都呕吐出来。

第十七章 旧爱

我用颤抖的手背擦了擦嘴，晃晃悠悠离开了刚刚呕吐的地方（我拒绝去想刚刚吐了什么，那地方是什么样子），走到了一棵靠着墙的巨大橡树前，这个树半边的枝叶都伸到了墙外。我靠着树，克制自己别再吐了。

我做了什么？我到底发生了什么？

我听到从橡树上的什么地方传来猫叫声。好吧，并非普通猫正常的那种叫法，而是一种非常生气的叫声："咪——咿——呜——咿——呜——哼。"

我抬头，看见靠着墙的树枝上蹲着一只橙色的小猫。它的大眼睛瞪着我，看起来很不高兴。

"你是怎么上去的？"

"喵——呜。"它回答，打了个喷嚏，一点点从树枝上下来，明显是要靠近我。

"来，过来，小猫猫。"我哄它。

"咪——咿——呜——喔。"它说着，又向前蹭了半个小爪子的距离。

“对了，来吧，小姑娘。动动小爪子过来！”对，我把我的恐惧转移到了营救小猫上，但事实上我完全不能想刚刚的事情。现在还不行，太快，太难以接受了。所以营救小猫是我现在一个绝佳的分神手段。另外，它看着很眼熟。“来，小姑娘，过来……”我不断和它说话，一边把平底鞋的前部蹬在粗糙的墙砖上，以便能向上够到小猫所在的树枝。然后我像拉绳索一样拉住树枝，往墙上爬，我一直在和小猫说话，而它一直在向我抱怨。

我终于爬到可以够到它的地方。我们互相看了很久，我开始想知道它是不是认识我，它知道我刚刚尝了（而且还喜欢）血吗？我的气息中是不是带有血腥味？我是不是看起来不一样了？我是不是长了獠牙？（好吧，最后一个问题很可笑，成年吸血鬼并没有獠牙，不过我还是想这么问。）

它又对我“咪——咿——呜——喔”地叫着，靠得更近一点。我伸手挠了挠它的头顶，它耳朵垂下，闭上眼睛，发出呼噜呼噜的声音。

“你看起来像小狮子。”我告诉它，“看你不发牢骚的时候多乖呀！”然后我惊讶地眨眨眼睛，明白了它为什么看起来眼熟，“你在我梦里出现过。”一点幸福终于从我心里恶心和恐惧的围墙中钻出来，“你是我的猫！”

小猫睁开眼，打个哈欠，又打了个喷嚏，仿佛在批评我怎么这么久才想出来。我咕噜一声蹿上去，坐到了小猫栖身的树枝旁边的围墙上。它轻叹一声，优雅地跳下树枝，落在墙头，小白爪迈步走向我，蜷在我膝头。我只好继续挠挠它的头。它闭上眼睛，呼噜声更大了。我拍着它，尽力平复混乱的心情。空气中有点像要下雨的气息，但今晚对于十月底来说太过温暖。我仰起头，深吸一口气，让银色的月光透过云层使我平静。

我看着小猫：“嗯，娜菲丽特说我们应该在月光中坐一会儿。”我又瞥了一眼夜空，“要是那些愚蠢的云能被吹跑就好了，不过……”

我话音刚落，身边就起了一阵强风，把几缕云给吹散了。

“呃，谢谢！”我大声对着空中说，“这风还真是好用啊！”小猫低声嘟囔着，提醒我继续给它挠耳朵。“既然你是只小狮子，我就叫你娜拉[①]吧！”我一边和它说话，一边继续给它挠痒，“你知道吗，小姑娘，我很高兴今年能找到你，今夜之后我需要好事发生。你不会相信……”

一阵奇怪的味道飘向我。很奇怪的味道，我只好闭上嘴不再说话。什么味道啊？我闻了闻，皱起了鼻子——是一种干燥、陈旧的味道，像很久没人住的房子或谁家吓人的地下室的味道。这可不是什么好味，但也没难闻到要吐的地步，只是不太对劲，可不像是夜晚的空地上该有的味道。

我瞥到了某种东西。我看了看长长曲折的砖墙下面。有个女孩站在那里，半转身，仿佛不确定往哪边去。借着月光，再加上我进化了的新生的眼睛，就算墙外没有灯光也可以把它看得很清楚。我有点紧张，是不是有个可恶的暗夜之女跟踪我？今晚最不想的就是处理他们乱七八糟的事情了。

我心里沮丧地嘟囔一定是不小心发出声音来了，那个女孩抬起头，往我坐着的这边看过来。

我吓得倒吸一口气，恐惧掠过全身。

是伊丽莎白，那个已经死了的没有姓氏的伊丽莎白。她看着我的眼睛，怪异的眼睛圆瞪着，发出红光，然后她发出一声奇怪的尖叫，随即转身以非人类的速度消失在夜色里。

而同时，娜拉拱起背，凶猛地发出嗞嗞声，小小的身体颤抖着。

“没事了！没事了！”我一遍一遍地说着，想让小猫和我都

---

①娜拉（Nala）：迪斯尼电影《狮子王》中的母狮。

镇静下来。我们两个都颤抖着，而娜拉还不断低吼着。“不可能是鬼。不可能。只是……只……是个奇怪的孩子。我可能吓到了她，而她……”

“佐伊！佐伊！是你吗？”

我跳起来，差点从墙上掉下去。娜拉吓得不行，它又发出可怕的嗞嗞声，利落地从我膝头跳到地上。我完全被吓坏了，抓住枝头才掌握住平衡，眯起眼睛往夜色中看。

“谁……谁在那儿？”我叫着，压住怦怦的心跳声。然后两道手电的光束朝我照来，照得我什么都看不清了。

“当然是她！我怎么可能认不出我最好的朋友的声音？切，她又没离开那么久。”

“凯拉？”我说，我用剧烈颤抖的手尽力遮住眼睛。

“好啦，我告诉你我们会找到她的。”一个男人的声音说道，“你总是很快就想放弃。”

“希斯？”可能我在做梦。

“是！哇——哦！我们找到你了，宝贝儿！”希斯叫道，就算从讨厌的手电光中，我还是看到他冲向围墙，像个玩足球的高个儿金毛猴子往上爬。

发现是他，不是什么鬼鬼怪怪的，我竟然很放松，我向下朝他喊道：“希斯，小心！掉下去可能会摔断什么的。”好吧，除非他摔到头，不然估计不会有事。

“我没事！”他说，撑起身越过墙，跨坐到我旁边的墙上。“嘿，佐伊，看……看着我，我是世界之王！”他叫着，张开双手，笑得像个白痴，带着酒气的鼻息向我喷来。

怪不得我不要和他好。

“好了，不用一直拿我不幸的前偶像莱昂纳多取笑！”我瞪了他一眼，觉得比几个小时前更像我自己了，“事实上，就像我以前竟然不幸地喜欢你。只不过喜欢你没有对他时间长，而且你也没有拍出一部狗血但是好看的电影。”

“嘿，你不会还在生达斯汀和德鲁的气吧？别理他们！那两个白痴！”希斯说，露出小狗一样的表情，八年级的时候他这个表情还挺可爱的。可惜两年前可爱在他身上就体现不出了。“而且，不管怎么说，我们好不容易到这来，就是要带你逃走。”

“什么？”我摇摇头，眯起眼睛看他，“等等，先把手电关了，我眼睛快被刺瞎了。”

“要是关了，我们就看不见了。”希斯说。

“好吧，那就转开。嗯，向外照那里什么的。”我指向远离学校（和我）的地方。希斯把他抓着的一只手电转向夜空中，凯拉也照做了。我终于能把手放下了，让我高兴的是我的手已经不抖了，眼睛也不用眯起。希斯看见我的烙印的时候，还是睁大了双眼。

“看看！已经满色了。哇！就像……像……电视之类上面看到的。”

好吧，看见他没变还是不错的。希斯还是希斯——可爱，但却不是最显眼的那个。

“嘿！那我呢？我也来了，你知道的！”凯拉叫道，“谁把我弄上去，但是小心！我先把我的新包放下。哦，我还是把鞋也脱了吧。佐伊，我不敢相信你昨天错过了巴克斯[1]鞋的大减价。所有的夏季鞋都清仓处理。我是说，真的在处理，就三折。我买了五双……”

“帮她上来！”我告诉希斯，“现在，就这样才能让她住嘴。”

没错，有点事情完全没变。

希斯马上趴下，肚子顶在墙头，俯下身把手递给凯拉。她一边咯咯笑着，一边抓住他的手，让希斯把她拽到墙头。就在她还在笑，而希斯拉她上来的时候，我看见凯拉的那种完全不会让人看错的笑法，而且她还对希斯脸红。我很清楚发生了什么，就像我知道自己永远成

①巴克斯（Bakers）：著名连锁女鞋品牌。

不了数学家一样。凯拉喜欢上了希斯，好吧，不是喜欢上了。她喜欢希斯。

我突然间想起了希斯愧疚地承认，在我错过的那次聚会上他乱来了，现在一切都明白无疑了。

“杰莱德好吗？”我唐突地问，凯式大笑彻底停住了。

“还好吧，我估计。”她没敢看我的眼睛。

“你估计？”

她耸耸肩，我看见她身上那件非常可爱的皮夹克里穿的是小巧的奶油色蕾丝背心，我们曾经管这种背心叫做“胸恤”，不光是因为会露出大半的乳沟，而且那种颜色很像肉色，看起来比实际上更暴露。

“我不知道。这两天我们都没怎么说过话。”

她还是没有看我，但瞥了眼希斯，希斯还是一头雾水的样子，不过他一直也就那样。这么说来我最好的朋友在追我的男朋友。这让我火大，一时间我希望今夜不是这么暖和的天气，而是冷得能冻掉凯拉过度发育的胸部。

突然间北风横扫而过，强风带来刺骨的寒意。

凯拉尽量不露声色地把夹克拉紧，又开始笑起来，这回笑得紧张，而非刚才的挑逗。我又闻到了一阵啤酒的味道和另一种味道。某种我刚刚才闻过的味道，而我竟然没有马上就闻出来。

“凯拉，你刚喝了酒，还抽烟？”

她抖了抖，像只兔子一样慢慢向我眨眨眼：“就两罐，我是说啤酒。还有，嗯，哦，希斯有一小支烟，而我真的很害怕来这里，所以就小抽了几口。”

“她需要壮胆。”希斯说，但他从来都不太会发超过两个音节的词，所以听起来像“只——装——的——安”。

“你什么时候开始抽的？”我问希斯。

他咧开嘴笑：“又不是什么大事，佐。偶尔抽一口，很安全的。”

我非常讨厌他叫我“佐”。

“希斯。”我尽量让自己耐心点，“那可不比某些香烟对身体好，就算是，也很有限。某些香烟就够讨厌了，会慢慢杀掉你。而且，说正经的，学校里最没用的家伙才抽烟如命。更别说你也没有多少脑细胞可供烟杀的。”我差点儿加上“和精子”，不过我还不想说到那一步。要是我提到有关他男性的问题，他绝对会错意。

“不是啦。”凯拉说。

“什么，凯拉？”

她仍然抓着夹克以抵御寒冷。眼神从可怜的兔子变成了狡猾的不断抽动尾巴的猫。我认出了这种变化。她经常这么看不被她当做女性朋友的人。这样总让我生气，我吼她，叫她不要这么刻薄。她现在竟然用这种垃圾眼神对我？

“我说不是是因为才不是只有没用的家伙抽，至少有时候不是。你知道联队里最红的两个跑卫吧，克里斯·福特和布拉德·西格恩斯？我有一次在凯特的聚会上看见他们了，他们就抽。”

“嘿，他们俩才不红呢！”希斯说。

凯拉没理他，继续说道：“而且摩根有时候也抽。”

“摩根，就是那个小老虎摩姬？”是啊，我在生凯的气，不过八卦本身没错。

“对。她最近还在舌头上……”她用嘴比出个词来，“打洞。你能想象有多疼吗？”

“什么？她在哪里打洞？”希斯说。

“没什么。”我和凯一起说，一时间还是很像以前的那对好朋友。

“凯拉，你又跑题了。联队球员一直都在抽那玩意儿。嗨！记得他们还用兴奋剂吗，这就是为什么我们用了十六年才打败他们。”

“加油，猛虎！对，我们终于把联队打惨了！”

我对他翻起了白眼。

“摩根最近失心疯了，所以才会打洞在她……”我瞥了一眼希斯，重新考虑了一下，“在她身上，还抽烟叶。哪有正常人抽烟叶的？”

凯想了一会儿说：“我！”

我叹了口气：“瞧，我只是觉得还是有点不太明智。”

“嗯，你又不是什么事都知道！”那种怨恨的眼神又闪现在她眼中。

我转去看向希斯，又转回她身上：“当然啦，你说得对，我不是什么事都知道。”

她刻薄的表情转向惊讶，又变回刻薄。我突然忍不住拿她和斯蒂芬·雷作比较。虽然斯蒂芬·雷我也不过才认识了两天而已，但我完全绝对相信她不会去追我男朋友，不管他是否已经是前男友。我也觉得她在我需要的时候不会从我身边离开，而且像对待怪物一样对待我。

“我想你们该走了。”我对凯拉说。

“好吧。”她说。

“以后最好也别再来了。”

她耸耸一边的肩膀，夹克敞开了，我看见她的小背心一边的细肩带滑落，显然她没有穿内衣。

“随便。”她说。

“帮她下去，希斯！”

希斯非常服从简单的指示，他把凯拉吊下去。她抓起手电，回头看着我们。

“快点，希斯！我快冷死了。”然后，凯拉就转身迈开大步，向公路走去。

“嗯……”希斯有点尴尬地说，“确实突然就变冷了。”

“是啊，不过马上就好了。”我心不在焉地说，也没太注意到风瞬间就停了。

“嘿，呃，佐。我真的是来带你走的。”

“不用了。”

“嗯？”希斯说。

“希斯，看我的额头。”

“我看了，你有个半月什么的印记，而且已经满色了，很奇怪，之前还没颜色呢。”

“嗯，现在不一样了。好吧，希斯，专心听我说。我被烙印了。就是说我的身体正在经历向吸血鬼的转变。”

希斯的眼睛从我的烙印转向我的身体。我看见他眼睛从我的胸部转悠到了腿上，我这才意识到，刚刚爬墙的时候我的裙子几乎撩到了胯部，腿几乎都露出来了。

“佐，不管你的身体发生了什么，对我来说都很好。你看起来真性感。你一直都很美，但现在看起来更像个真的女神。”他冲我微笑了一下，轻抚我的脸颊，让我想起来为什么我能喜欢他这么长时间。除了他的毛病之外，他可以真的很甜蜜，总让我感觉自己完美无瑕。

“希斯，”我轻柔地说，“对不起，但事情已经变了。”

“对我来说没有不同。”他突然倾身，一手滑过我的膝盖，一边吻我，我完全被他吓到了。

我猛地退后，抓住他的手腕说：“住手，希斯！我要跟你谈谈。”

“要不你说你的，我吻我的？”他低声说。

我正要告诉他别再这样。

然后我感觉到了。

我手指下他的脉搏。

他心跳剧烈、快速。我发誓我可以听得到。他又倾身吻我的时候，我可以看到他脖子上的血管移动着，随着血液的流动强烈地跳动着。血……他的嘴唇贴上我的，而我想起高脚杯中血的味道。那血是冷的，混着酒，是从一个弱小、无能、一无是处的孩子身上取来的。希斯的血会是热的，醇厚甜美，比埃利奥特这个“冰箱”甜美得多……

“嗷！该死，佐伊。你抓伤我了！”他把手腕从我手中挣脱，“讨厌，佐，你把我弄流血了。要是你不愿意我吻你，说不就行了。”

他抬起流血的手腕送到嘴边，把流出的血滴舔掉。然后他抬眼看我，僵住了。他嘴唇上有血迹，我能闻到——像酒，但比酒好，好得太多。那种味道包围着我，让我手臂上的汗毛倒竖。

我想尝尝。我从来不曾像现在渴望血一样渴望过一件事情。

“我想要……”我听见自己用一种自己都不认识的声音低声说着。

“好……”希斯仿佛出神了一般回答，“好……不管你要什么，我都会按你的要求做。”

这回我倾向他，舌头碰上他的嘴唇，把那一滴血舔进我嘴里，血在我嘴里爆炸，感受那热度、那感觉、那种我从未体验过的愉悦冲动。

“还要。”我嘶哑着说。

他仿佛失去了说话的能力，只能点头。希斯把手腕举给我，那里基本已经止血了，而我舔了舔那道猩红色的血痕，希斯呻吟起来。我的舌头似乎对伤口有什么作用，那里又开始滴血，越来越快……我颤抖着手把他的手腕举到嘴边，把嘴唇压上他温暖的皮肤。我在快乐中战栗、呻吟，还……

“哦，我的天哪！你在对他做什么！”凯拉的尖叫穿破我脑中那片血红色的迷雾。

我像被烫伤一样甩开希斯的手腕。

“离他远点！”凯拉尖叫着，“别碰他！”

希斯没有动。

“走。”我对他说，“走，永远别回来了！”

“不。”他说，表情和声音都异常清醒。

“走，离开这里。”

“让他走！”凯拉喊道。

“凯拉，你要是再不闭嘴，我就飞下去，把你这个背叛的白痴母牛吸个一干二净！”我气势汹汹地对她说。

她尖叫着快速离开了。我转过身面对希斯，他还盯着我。

“现在你也必须走了。”

“我不怕你，佐。”

“希斯，我怕自己对我们两个不利。”

“但你做什么我都不在乎。我爱你，佐伊，现在比以前更加爱你。”

“别说了！”我不想喊，但我话语里的力量还是让他畏缩了。我用力咽下口水，让声音平静下来。“走吧，拜托。”为了让他离开，我还加上了一句，“凯拉可能现在去叫警察了，我们都不想这样吧？”

“好吧，我走。但是我不会不理你的。”他快速用力地亲了我一下。我尝到我们嘴唇上留下的血迹时，又感觉到了一股白热的愉悦感。之后他滑下墙头，消失在夜色里，我看着他手电的光芒逐渐变成了小亮点，终于，什么都看不见了。

我不让自己想任何事情。还不到时候。我像个机器人一样，慢慢移动，抓住树枝保持平衡，爬了下来。我的膝盖抖得厉害，只走了几步，就瘫倒在树边的地上，背靠着老树安定的树皮。娜拉又出现了，跳上我的膝头，仿佛已经成为我的猫多年，而非几分钟前才认识。我开始哭泣，而它从我的膝头爬上胸口，把温暖的脸压在我潮湿的脸颊上。

我好像哭了很久才逐渐止住，真希望我逃出娱乐厅的时候也把包带上了，我现在真需要用纸巾。

“给，你现在似乎需要这个。”

我吓了一跳，娜拉抱怨地叫着，我眨眨眼睛，用泪眼看见有人递给我一张纸巾。

“谢……谢谢。”我说着拿过纸巾擦鼻子。

“不用谢。”埃里克·奈特说。

第十八章　接触

“你还好吗？”

“嗯，还好。非常好。”我撒谎了。

“你看起来可不好。”埃里克说，“介意我坐下吗？”

“不介意，坐吧。”我无精打采地说。我知道自己的鼻子还红肿着。他走过来的时候，我肯定是眼泪鼻涕一大把，而且我还暗自怀疑我和希斯最后的那一段噩梦也被他看到了。这一夜变得越来越糟了。我瞥了他一眼，然后决定：去他的吧，我豁出去了。“你可能不知道，昨天在过道里撞见你和阿芙洛狄忒那一段的人就是我。”

他甚至丝毫都不犹豫就说：“我知道，虽然我希望你没看到。我不想你对我有所误会。”

“什么样才不误会？”

“我和阿芙洛狄忒之间并不只是简单的那个样子。”

“和我没关系。”

他耸耸肩：“我只是想让你知道，她和我不再在一起了。”

我差点儿想说“阿芙洛狄忒明显还没意识到呢”，但又想到了希斯和我刚刚发生的事情，才突然感觉到我可能不该对埃里克太苛刻。

“好吧。就算你们不再在一起了。”

他在我身边安静地坐了一会儿，突然用一种我觉得近乎生气的声音说：“阿芙洛狄忒没有告诉你关于酒里放了血的事情。”

他说的不像个问句，不过我还是回答了：“没有。”

他摇了摇头，我看见他咬紧了牙齿：“她告诉我要和你说的。她说等你换衣服的时候告诉你，要是你觉得不舒服可以略过饮用这一节。”

“她说谎。”

“这不奇怪。”他说。

“你这么觉得？”我感觉体内也升起了一股怒意，“整件事情都是错的。我被迫参加暗夜之女的仪式，又被设计喝血。然后我碰到了几乎是前男友，正巧他是个百分百的人类。也该死的没人告诉我，哪怕是他的一小滴血都能让我变成……变成……一个怪物。”我咬住嘴唇，任愤怒把持我，以免再哭出来。我还决定不说出看见伊丽莎白鬼魂的事——对今天一个晚上来说，这怪事也太多了，我无法承受。

“没人向你解释，是因为你这种效果本该是到六年级时才会开始有的。”

“嗯？”我又开始词不达意了。

“通常要到六年级，等你基本上转变完成了，才会开始嗜血。偶尔能听说几个五年级生提早出现这种情况，但不是很常见。”

“等等——你说什么？”我脑子里嗡声一片。

“你从五年级开始要学习有关嗜血以及其他成熟吸血鬼需要处理的问题，然后，在最后一年里，学校的重点几乎都在这些上面，还有你决定要主修的课程。”

“但是我是个三年级生——我的意思是我才三年级，被烙印才不过几天。”

“你的烙印不同，你是不同的。”他说。

“我不想不一样！”我发现自己竟然在吼，尽量控制住自己的音量，“我只想知道怎么才能和其他人一样度过。”

“太迟了，Z。”他说。

“那现在怎么办？”

“我觉得最好还是和你的导师谈谈，是娜菲丽特，对吧？”

“是啊。”我痛苦地说。

“嘿，高兴一点儿！娜菲丽特很棒。她几乎都不再指导新生了，所以她肯定很信任你。”

“我知道，我知道。就是这点让我觉得……”我该怎么和娜菲丽特说今天晚上发生的事情？太尴尬了。就像又回到十二岁的时候，不得不告诉男体育老师我来例假了，必须去换短裤。我偷偷瞥了眼埃里克，他坐在那里，光彩照人、彬彬有礼、完美无瑕。天哪，我不能这么和他说吧！所以我只好脱口而出：“太傻了。这让我觉得很傻。”倒也不算是完全的谎话，但除了尴尬和傻之外，最主要的感觉还是害怕。我不想这样，这让我很难融入大家。

“别觉得傻。其实你领先我们大家呢。”

“这么说……”我犹豫了一下，深吸了口气，一口气说出来，“你喜欢今晚高脚杯中血的味道吗？”

“嗯，这么说吧：我第一次参加暗夜之女的满月仪式是在三年级快结束的时候。除了‘冰箱’之外，我是唯一的三年级生，就和你今天一样。”他勉强地微微笑了一声，“她们邀请我只是因为我进入了莎士比亚独白竞赛的最后一轮，第二天就要飞往伦敦去参加决赛。”他瞥了我一眼，看上去有点尴尬，“暗夜学院里没人去伦敦参加过决赛，这是件大事。”他自嘲地摇摇头，“事实上，我也把自己很当回事。所以暗夜之女邀请我参加，我就去了。我知道有关血的事情，他们也给我拒绝的机会，但是我没有。”

“那你喜欢吗？”

这次他真是大笑出来：“我反胃，吐得稀里哗啦。那是我尝过的最恶心的东西了。”

我咕哝了一声。耷拉下脑袋，把脸埋进双手里：“对我一点用处也没有。”

“因为你觉得味道好？”

“不只是好。”我说，脸还埋在手里，“你说是你尝过的最恶心的东西？我觉得是最美味的。嗯，直到我……”我停住了，意识到我打算说什么。

“直到你尝到新鲜的血液？”他温柔地问。

我点头，不敢说话。

他拉开我的手，让我把脸露出来，又将手指放在我下巴上，强迫我直视他。

“不用觉得尴尬或是不好意思，这很正常。”

“爱喝血不正常。至少对我来说不正常。”

“是很正常的。每个吸血鬼都要应付他们对血的渴求。”他说。

“我不是吸血鬼！”

“或许你……还不是。但你也绝对不是一般的新生，这没什么不对的。你很特别，佐伊，而且可能特别惊人。”

慢慢地，他的手指从我下巴移开，像早些时候一样，轻柔地在我暗色的烙印上画着五芒星。我喜欢他手指滑过我皮肤的感觉——温暖，有一点粗糙。我也喜欢这么靠近他，却不会像靠近希斯一样引起奇怪的反应。我是说，我听不到埃里克血脉汩汩流动的声音，也看不到他脖子上跳动的血管。要是他吻我，我也不会介意……

天哪！我难道变成吸血鬼贱货了？下一个又是什么呢？难道没有任何种族的男性（没准儿也包括达米恩）在我身边是安全的？或许在我发现自己身上究竟发生了什么，学会怎么控制自己之前，应该避开男性。

这时我想起我就是要避开所有人，才跑到这么一个地方来的。

“你来这里做什么，埃里克？”

“我跟踪你。”他简明地回答。

“为什么？”

“我觉得知道了阿芙洛狄忒把你拖下水之后，你可能需要个朋友。你和斯蒂芬·雷是室友，对吧？”

我点头。

“那就是了，我本来想找她来陪你，但是不知道你是不是愿意让她知道……”他停下来，向娱乐厅做了个模糊的手势。

“不要！我……我不想让她知道。”我说得太快，不由得期期艾艾起来。

“我也这么想。所以，我就跟着你了。”他微微一笑，随后看起来有点不自在，“我真不是有意要听你和希斯说话。实在抱歉。”

我专心拍着娜拉。这么说，她看到希斯吻我了，还看到后来的流血场面了。老天，真丢人……我突然有一个念头，我瞥了他一眼，冷笑了一下：“我猜这样就扯平了。我也不是故意要听你和阿芙洛狄忒说话。”

他回我一个微笑：“我们扯平了，我喜欢这样。”

他的微笑让我的心七上八下的，好不容易才说出话来：“我不会真的飞下去把凯拉吸干的。”

他大笑（他笑起来真的很好看）道：“我知道。吸血鬼不会飞的。”

“不过，把她吓跑了。”我说。

“就我看来，她活该。”他停了一拍才继续说，“我能问你点事情吗？有点算是个人隐私。”

“嘿，你看见我从杯中饮血还很喜欢，呕吐，亲男生，像小狗一样舔他的血，还痛哭流涕的，而我也看见你做那种事情。我觉得应该可以回答你一个隐私问题。”

“他是真的人迷了吗？是看着像还是听着像？”

我不安地扭动着，娜拉又向我抱怨，直到我又开始拍它才安静下来。

“好像是吧。”我终于开口，“我不知道这算不算入迷，而且也完全不想用我的力量或是什么奇怪的能力控制他，但他的确不太一样。我不知道。他刚抽过烟，又喝了酒。没准儿只是飘飘然了。”我又听到了希斯的声音在记忆中回响，*像一团甜腻的雾：好……不管你要什么。我都会按你的要求做。*然后我又看到了他投向我的热切的眼神。天哪，我都不知道狂热的球员希斯竟然能做到这样热切，至少在球场外是这样。我非常肯定地知道他拼不出“热切”这个词（“热切”，不是“橄榄球”）。

“他刚刚一直都这样，还是只是在你……呃……开始……”

“一开始不这样。怎么了？”

“嗯，这样的话就可以排除两种让他变得奇怪的原因了。第一，要是他只是飘飘然，他应该一直都那样。第二，他可能就是这样的表现，因为你很漂亮，这一点就可以令一个男人为你而迷醉了。”

他的话又让我心潮澎湃了，之前从来没有男人让我有这种感觉。球员希斯、树懒乔丹或者乐队蠢小子乔纳森都没有（我的约会史不长，不过很丰富多彩）。

“真的？”我像个白痴一样问。

“真的。”他笑得一点都不傻。

这种家伙怎么可能喜欢我？我是个吸血的笨蛋。

“但这两种都不可能，在你吻他之前他就应该注意到你今天看起来有多热辣了，而你说他似乎是流血之后才被迷惑的。”

（被迷惑——嘿嘿——他说的是被迷惑。）他用这个复杂的词语时，我只顾着傻笑了，一点都没想就回答他：“事实上，是在我听到他血流的声音时开始的。”

“再说一遍！”

啊，糟糕。我本来不想说的。我清清嗓子：“当我听到血液在希斯血管里汩汩流动的声音时，他开始变了。”

“成年吸血鬼才能听得到这个。”他停住了，闪过一个微笑，“希斯听上去像是个同性恋肥皂剧明星的名字。”

“接近了。他是断箭队的明星四分卫。”

埃里克点头，似乎觉得很好玩。

“嗯，顺便说一句，我喜欢你改的姓。奈特[①]是个很酷的姓。”我说，尽量拖延谈话时间，还想说得稍微有见识一点。

他笑得更灿烂了：“我没改过。埃里克 · 奈特就是我的本名。”

“哦，好吧，我喜欢这个名字。”叫人把我射死算了。

“谢谢。”

他瞥了一眼表，我发现差不多六点半了——是早上，我还觉得有点怪。

“马上就要天亮了。”他说。

我估计这就是我们要分别的暗示吧，我收起双脚，抱紧娜拉，这样才能站起来，我感觉到埃里克把手放在我的胳膊肘下撑着我。他扶我站起来，自己也站在那里，靠得很近，娜拉的尾巴拂过他黑色的毛衣。

“你要不要吃点东西？现在唯一还供应食物的地方就是娱乐厅了，而我觉得你肯定不想回去。”

“不，肯定不想。不过我也不饿。”才说完，我就发现真是个大谎话，一提到吃的，我突然就觉得非常饿。

“好吧，你介意我送你回宿舍吗？”

“不。”我尽量若无其事地说。

要是斯蒂芬 · 雷、达米恩和双胞胎看见我和埃里克一起出现，肯定会死过去。

一开始我们什么都没说，不过并非尴尬、不自在的那种安静。事实上，气氛很好。我们的胳膊时不时蹭蹭对方，我想着他的身高和可

---

①奈特，即Night，英语“夜”。

爱，多希望他能拉我的手啊！

“哦！”一会儿之后他说，“我还没回答完你之前的问题呢。我头一次在暗夜之女的仪式上喝到血的时候我很讨厌，但每次尝过之后就会好一些。我不能说是一种美味吧，但我确实在习惯。而且我很喜欢这种尝到后的感觉。”

我突然看着他：“头晕目眩，腿有点发软？好像喝醉了，但其实不是。”

“是啊。嘿，你知道吸血鬼不会喝醉吗？”我摇头，“转变对我们的新陈代谢有影响。就连新生都很难喝醉。”

“这么说饮血是吸血鬼喝醉的一种方式？”

他耸耸肩：“我想是吧。不管怎么说，新生是禁止喝人血的。”

“那么为什么没人把阿芙洛狄忒做的事情告诉老师？”

“她喝的不是人血。”

“呃，埃里克，我在场。酒中掺的血绝对是那个叫埃利奥特的孩子的。”我耸耸肩，“而且选他多讨厌啊！”

“但他不是人类。”埃里克说。

“等等——禁止喝人血。”我慢慢地说（哦，该死，我刚才就喝了），“但喝其他新生的血就没问题？”

“双方都同意就行。”

“这说不通。”

“当然说得通。我们在身体的转变过程中嗜血是很正常的，所以我们需要一个发泄的途径。新生伤口愈合得很快，所以不会产生实质伤害，而且也不会像活人被喝过血液之后产生后遗症。”

他的话像“液封”[①]店里大喇叭放的嘈杂的音乐冲进我的脑海，我抓住了第一个我能清楚想到的事情：“活人？”我不禁尖声问道，“那你是说和吸尸体的血不一样？”我又有点反胃了。

①液封（Wet Seal）：美国连锁服装品牌，以年轻女性为主要消费群体。

他大笑："不是，我是说和从吸血鬼捐血者那里收到的不一样。"

"从来没听说过这种事。"

"大多数人都没听过，你要到五年级才会学到。"

虽然他话中其他的事情又从我脑中的迷惑中钻出来："你说后遗症是什么意思？"

"我们才在吸血鬼社会学课上学到。似乎是说当一个成年吸血鬼吸活人的血，会产生非常强烈的羁绊。并非只作用在吸血鬼身上，人类也有可能轻易变得很着迷。这对人类来说很危险。我的意思是说，想想看，失血本身不是件好事。而且我们比人类长寿几十年，有时候甚至上百年。从人类的观点来看，爱上一个外表几乎不会变老的对象，而自己却会变老，满脸皱纹并且马上就会死，那感觉真是太痛苦了。"

我又想起希斯看着我的那种茫然但热切的眼神。我知道，不管有多难开口，我都必须把一切告诉娜菲丽特。

"是啊，是太痛苦了。"我有气无力地说。

"我们到了。"

我惊奇地发现我们已经站在女生宿舍的门前了，我抬头看他。

"嗯，谢谢你跟踪我……我想。"我说着，苦笑了一下。

"嘿，什么时候你想找个不速之客干涉此事，就找我吧！"

"我会记得的。"我说，"谢谢。"我把娜拉提到腰间，正要去开门。

"嘿，Z！"他叫我。

"不用把裙子还给阿芙洛狄忒了。今晚她让你加入圈子就相当于正式在暗夜之女里给你留了一个位置。而传统来说，见习大祭司要在新会员加入的第一夜赠送礼物。我估计你不会想加入，不过还是可以留着裙子。尤其是你穿起来比她穿好看很多。"他伸手拉住我的手（没有抓着猫的那只手），翻过我的手，让手心朝上。然后他用手指沿着手腕表层的血管移动，这让我脉搏狂跳。

“还要记得，要是你打算换一种血尝尝，也可以找我。记住这一点！”

埃里克倾身，直视我的眼睛，他轻咬我的脉搏，然后又轻柔地吻了一下。这回我的心更加忐忑了。这让我浑身过电，呼吸急促。他的嘴唇还贴在我的手腕上，双眼看着我，我感觉到一丝欲望的战栗划过身体。我知道他能感觉到我的颤抖。他的舌头轻击我的手腕，又让我一阵战栗。随后他向我微笑了一下，就转身走进了黎明前的微光中。

第十九章　坦白

埃里克意想不到的吻（和咬及舔）让我的手腕一直发麻，也不确定还能不能说话，进门的大厅里没几个女孩，她们只是瞥了我一眼，就又回头看好像是《美国下届超模》的节目了，我松了口气。我冲进厨房，把娜拉放到地上，希望我做三明治的时候它别跑了。它倒是没跑，事实上它一直跟着我在厨房里转，像只小金毛狗一样，不断用不像猫叫的声音向我抱怨。我一直回答它“我知道”和“我明白”，我觉得它是因为今晚的白痴表现而跟我吼，而且，嗯，它是对的。三明治做好了，我抓起一包椒盐卷饼（斯蒂芬·雷说得对，这里任意一个柜子里都找不到能吃的垃圾食品）、某种可乐（我不在乎是哪个牌子，就知道是棕色的，不是无糖的——嘀），还带上我的猫，溜上楼梯。

“佐伊！我担心死了！告诉我发生什么事了！”斯蒂芬·雷蜷在床上，拿着本书，明显是在等我。她穿着睡衣，棉质抽带睡裤上满是牛仔帽的图案，短发翘向一边，好像睡着了压出来的。我发誓她看起来的样子只有十二岁。

“嗯。”我欢快地说，“看来我们有宠物了。”我转个身，让斯蒂芬·雷看到挤在我后腰间的娜拉，“这里，帮我拿一下东西，省得掉了。要是摔了它，它可能就会抱怨个没完没了。”

“它真可爱！”斯蒂芬·雷跳起来，冲过来想接走娜拉，但是猫死抓着我不放，好像谁要杀它似的，斯蒂芬·雷只好帮忙把吃的放在床边的桌上。

“嘿，这裙子很棒！”

“是呀，我在仪式之前换的。”这倒提醒我必须把衣服还给阿芙洛狄忒。好吧，我不要这个“礼物”，就算埃里克说我应该留着。总之，还她衣服时正好是说“谢谢”她“忘记”提示我血的事情的最好时机。丑八怪贱人！

“嗯……晚上怎么样？”

我坐到自己的床上，给娜拉一个椒盐卷饼，它马上开始钻研起来（至少不再抱怨了），然后我咬了一大口三明治。对啊，我饿了，不过也是在拖延时间。我不知道该告诉斯蒂芬·雷些什么，又有哪些事情不该说。血的事情比较难以理解，而且很讨厌。她会不会以为我很可怕？会不会怕我？

我咽下一口，决定还是从稍微安全一点的话题开始切入：“埃里克·奈特送我回来的。”

“得了吧。”她在床上跳着，像乡间的弹簧玩具，“全都告诉我！”

“他吻了我。”我冲她挤挤眉头。

“别开玩笑了！哪里？怎么亲的？感觉好不？”

“他亲了我的手。”我很快编了个谎，我不想解释整个手腕/脉搏/血/咬事件，“他道晚安的时候，我就在宿舍前面。还有，对，感觉很好。”我咧嘴一笑，又咬了满口的三明治。

“我打赌阿芙洛狄忒看见你和他一起走出娱乐厅，肯定感觉很失败。”

“嗯，其实，我先走，他后来追上我的。我，呃，正沿着墙走，正好发现了娜拉。”我抓抓猫脑袋，它在我身边蜷成一团，闭上眼睛，打起呼噜来，“事实上，我觉得是它找到了我。总之，我以为它需要救援，就爬上墙去，然后——你不会相信的——我看见了好像是伊丽莎白的鬼魂，然后我在南方高中的前男友希斯和前好友就出现了。”

“什么？谁？慢点说，从伊丽莎白的鬼魂开始。”

我摇摇头，一边嚼着三明治，一边解释：“真的很吓人，太奇怪了。我坐在墙头拍着娜拉，某种东西吸引我的注意力，我往下看见有个女孩站得离我不太远，她向上看着我，眼睛闪着红光，我发誓那是伊丽莎白。”

“不可能！你是不是吓坏了？”

“吓死了！她看见我就可怕地尖叫一声，然后跑走了。”

“要是我肯定吓傻了。”

“我就是，只不过还没缓过神来，希斯和凯拉就出现了。”

“什么意思，他们怎么会在那儿？”

“不是那里，他们在墙外。娜拉被伊丽莎白的鬼魂吓坏了，我正在安抚它，他们肯定听见了我的声音，就跑过来了。”

“娜拉也看见她了？”

我点头。

斯蒂芬·雷打了个寒战：“那她肯定就在那儿。”

“你确定她死了吗？”我的声音几乎变成了耳语，“有没有可能是什么误会，她还活着，在学校里乱逛？”听起来很荒唐，但也不会比看见真正的鬼更荒唐了。

斯蒂芬·雷使劲儿吞咽了一口：“她死了，我看见她死的，教室里所有人都看到了。”

她看起来要哭了，整件事弄得我也浑身发毛，所以我决定换个没那么恐怖的话题：“嗯，我可能看错了吧。没准儿只是一个眼睛很奇怪的孩子长得像她。天很暗，而且希斯和凯拉还突然出现在那里。”

“这又是怎么回事？”

“希斯说他们来‘带我逃走’。”我翻了个白眼，“你能想象吗？”

“他们傻了吗？”

“显然啊！哦，还有凯拉，我的前好友，很明显在追希斯！”

斯蒂芬·雷抽了口气：“贱人！”

“没错，总之，我叫他们走，别再回来了，然后我就变得很郁闷，正好埃里克找到了我。”

“哇！他是不是又体贴又浪漫？”

“嗯，这倒是，有点。而且他叫我Z。”

“哦哦哦，有个昵称是个很好的开始。”

“我也这么想。”

“这么说然后他就送你回宿舍了？”

“是，他说要带我去弄点吃的，不过这时候只有娱乐厅还开着，而我又不想回去。”啊，糟了。我马上就知道不该说那么多。

“暗夜之女那里很糟吗？”

我看着斯蒂芬·雷小鹿眼一样的大眼睛，知道不能告诉她喝血的事情，还没到时候。“嗯，你知道娜菲丽特有多性感、美丽又高雅吧？”

斯蒂芬·雷点头。

“阿芙洛狄忒和娜菲丽特做的事情差不多，但她看起来就像个妓女。”

“我一直都觉得她真的很讨厌。”斯蒂芬·雷厌恶地摇头。

“就是说嘛！”我看着斯蒂芬·雷脱口而出，“昨天，在娜菲丽特带我来宿舍之前，我看见阿芙洛狄忒要挑逗埃里克。”

“不会吧！天，她真恶心！等等，你说她要，怎么回事？”

“他拒绝了，还把他推开。他说不想再要她了。”

斯蒂芬·雷笑出声来："我打赌她那点小心智都要丢没了。"

我想起她强势的样子，就算他明白拒绝之后也一样。"其实，我会觉得对她有点抱歉，要是她不那么……那么……"我想着该怎么措辞。

"地狱来的女巫？"斯蒂芬·雷提供了个想法。

"对，我觉得差不多。她那个态度，尖酸刻薄，为所欲为，就像我们都该对她点头哈腰似的。"

斯蒂芬·雷点头："她朋友也那样子。"

"没错，我碰到了讨厌的三人组。"

"你是说好战、可怕和黄蜂吧？"

"就是她们。她们取这些恐怖的名字的时候都在想什么呀！"我说，往嘴里扔了一块椒盐卷饼。

"她们那群人想的都一样——她们都比别人强，因为讨厌的阿芙洛狄忒要当下任大祭司，她们也无人能及了。"

好像有人在我脑中低声说了一句话，我就给说出来："我觉得娜菲丽特不会允许的。"

"什么意思？她们现在是最火的团体。阿芙洛狄忒从五年级开始，就因为明显的感应力成为暗夜之女的头。"

"她的感应力是什么？"

"她有超视觉，像预见未来的灾难什么的。"斯蒂芬·雷一脸不悦。

"你觉得她会不会是造假？"

"哦，当然不会！她的预见准得惊人。而且达米恩和双胞胎也觉得，她只有不在她那群人之间，有其他人在场的时候才会说出来。"

"等等，你是说，她在坏事发生前，还有时间阻止的时候就知道，却什么都不做？"

"对，上周有一次在午饭时，她出现超视，但那一群巫婆围在她身边，想把她领出餐厅。正好达米恩来晚了，匆匆跑过来赶午饭时闯进了人群中，吓她们一跳，她们才看到阿芙洛狄忒正在超视中，不然谁也不知道。而且整架飞机上的人都可能会死。”

我被椒盐卷饼噎到了，一边咳嗽一边结结巴巴地说：“一整架飞机上的人！天哪！”

“是啊，达米恩知道阿芙洛狄忒正在超视，就告诉了娜菲丽特。阿芙洛狄忒只好说出她的超视，她看见一架喷气机在起飞后不久就坠毁了。她的视觉很清晰，她能描绘出机场，还能说出机尾上的号码。娜菲丽特接受了她的信息，联络了丹佛机场。他们复查了那架飞机，发现了点之前没发现的问题，而且要是没修复的话，飞机在起飞后马上就会坠毁。但是我非常清楚要不是被撞见，她一个字都不会说的。她居然还漫天撒谎说她朋友带她从餐厅出去是因为她们知道她马上就要去见娜菲丽特。纯粹狗屎！”

我刚想说，就算是阿芙洛狄忒和她身边的人，我也不相信她们会故意看着上百人丧命，不过我想起今晚他们说的那些仇恨的话——*人类男人太差劲，他们都该死*等，而且我意识到她们不只是说说而已，他们是认真的。

“那为什么阿芙洛狄忒不对娜菲丽特说谎呢？你知道，说另外一个机场，或者换个航班号之类的？”

“吸血鬼是不太可能被骗的，特别是他们直接问你问题的时候。还有，阿芙洛狄忒比谁都想当大祭司。要是娜菲丽特相信她是这么两面三刀，肯定会严重影响她的前途。”

“阿芙洛狄忒和大祭司一点关系都没有。她又自私又可恨，她的朋友也一样。”

“是啊，嗯，可娜菲丽特不这么想。她也是阿芙洛狄忒的导师。”

我惊奇地眨眨眼：“你开玩笑吧！她看不透阿芙洛狄忒那点伎俩？”不会啊，娜菲丽特那么聪明。

斯蒂芬·雷耸耸肩：“她在娜菲丽特面前表现得不一样。”

“但还是……”

“而且确实有感应能力，也就是说尼克斯对她有特别的安排。”

“要不然她就是地狱来的恶魔，从地狱带来的力量。嗨，有人看过《星球大战》吗？也很难相信天行者阿纳金会变化，而看看后来发生了什么？”

“呃，佐伊，那完全是虚构的。”

“不过，我觉得这是个重点。”

“好吧，那就试着去告诉娜菲丽特吧！”

我嚼着三明治，思索着。也许我应该去吧。娜菲丽特看起来那么聪明，不会被阿芙洛狄忒耍。她可能已经知道那帮女巫的事情。可能她就需要有人站出来向她报告吧？

“说起来，难道以前没人向娜菲丽特说过阿芙洛狄忒？”

“就我所知没有。”

“为什么没有呢？”

斯蒂芬·雷看起来有点不安：“嗯，我觉得有点像打小报告。无论如何，我们又该和娜菲丽特说什么呢？说我们认为阿芙洛狄忒可能隐藏她的超视，但我们唯一的证据就是她是个可恨的贱人。”斯蒂芬·雷摇头，“不行，我觉得事情到娜菲丽特那里不会顺利的。另外，就算奇迹发生，她相信了我们，她会怎么做？也不会把阿芙洛狄忒赶出学校，任由她在街头咳嗽死吧。阿芙洛狄忒还是会和她那一帮巫婆以及那些她招招爪就会对她言听计从的人一起。我觉得不值得。”

斯蒂芬·雷说到点子上了，但是我不喜欢，我真的不喜欢。

如果一个更强的新生取代了阿芙洛狄忒在暗夜之女中的领导地位，事情可能有转机。

我内疚地跳起来，用喝一大口汽水遮掩过去。我在想什么啊？我又不是喜欢权力的人。我不想当大祭司，也不想卷进去和阿芙洛狄忒以及学校的一半人（还是更有吸引力的一半）开战。我只想为我的新生活找一个合适的像家一样的地方——一个我可以融入，和其他孩子一样生活的地方。

然后我想起在两场仪式中感受到的电击一般的感觉，元素似乎穿过我体内的感觉，以及我必须强制自己留在圈子里，以免跟着阿芙洛狄忒行动。

“斯蒂芬·雷，当仪式开始的时候，你有没有感觉到什么？”我冒失地问。

“什么意思？”

“嗯，就像召唤火的时候，你有没有感觉到热？”

“没有。我是说，我真的很喜欢仪式，有几回娜菲丽特祈祷的时候，我能感觉到能量沿着圈子快速游走，但也就这样了。”

“这么说你从没在召唤风的时候感觉到风吹，召唤水的时候闻到雨的味道，或者召唤地的时候脚下有草的感觉？”

“不可能。只有能强大地感应到各种元素的大祭司才会……”她突然停住，眼睛瞪得巨大，“你是说你感受到了？所有的这些？”

我有点困窘地说：“好像。”

“好像！”她尖声说道，“佐伊！你知道这意味着什么吗？”

我摇头。

“上周社会学课上我们才学了历史上最出名的吸血鬼大祭司。已经有好几百年没有一位能感应到所有四种元素的祭司了。”

“五种。”我可怜兮兮地说。

“所有的五种！你还能感应到某种精灵！”

“是吧，我想是这样。”

“佐伊！太惊人了。我想还从来没有哪个大祭司能感应到所有的五种元素呢。”她朝我的烙印点点头，“这就是了。这意味着你与众不同，真的不同。”

“斯蒂芬·雷，你能帮我保密一阵子吗？我是说，连达米恩和双胞胎也别告诉。我只是……我只是想自己再弄清楚些。我觉得一切事情都发生得太快了。”

“但是佐伊，我……”

“而且我可能搞错了。”我快速打断她，“要是我因为从来没参见过仪式而兴奋得紧张过度了怎么办？要是我告诉别人‘嘿，我是唯一一个能感应所有元素的新生’而结果是紧张过度，那不尴尬死了？”

斯蒂芬·雷努起嘴：“我不知道，我还是觉得你应该告诉谁。”

“是啊，最后发现只是我的想象，然后阿芙洛狄忒和她那帮人就会跑到这来幸灾乐祸了。”

斯蒂芬·雷脸色发白：“哦，天哪，你说得没错。那样的话会真的很糟糕。在你准备好之前我什么都不会说的。我保证。”

她的反应提醒了我：“嘿，阿芙洛狄忒对你做过什么？”

斯蒂芬·雷看着自己的膝上，双手紧握，好像突然很冷一样缩起肩：“她邀请我参加仪式。那时候我才来没多久，一个月左右吧，还有点兴奋于这个很火的团体要我参加。”她摇摇头，还是没有看我，“是我傻，不过那时候我和谁也不熟，还以为她们会成为我的朋友，所以就去了。但是她们不是叫我成为他们中的一员。她们要我成为一个……一个……她们的仪式的血液捐献者。他们真是叫我‘冰箱’，好像除了给她们血之外一无是处。她们把我弄哭了，而我拒绝的时候他们就嘲笑我，把我赶出去。我就是这么认识的达米恩、艾琳和肖妮。她们一起出来逛，看见我跑出娱乐厅，于是就跟着我，告诉我别担心。从那之后我们就是朋友了。”她终于肯看我了，“对不起，我应该之前就跟你说，不过我知道她们不会这么对你。你很强，而且阿芙洛狄忒对你的烙印也很好奇。另外，你也够美，够得上成为她们中的一员。”

“嘿，你也是啊！”一想到斯蒂芬·雷和埃利奥特一样瘫在椅子上……要把血给她们喝，我的胃就很难受。

“不，我就是有点可爱，但不像她们。”

“我也不像她们！”我叫道，惊醒了娜拉，焦躁不安地对我嘟嘟囔囔。

“我知道你不像，我不是这个意思。我是说我知道她们想让你加入她们的团体，所以不会那样利用你。”

不是，他们捉弄我，还尽力把我吓跑。但是为什么呢？等等！我知道他们要做什么了。埃里克说他头一回喝血时很恶心，还跑出去吐了。而我来这里才两天。她们想让我恶心，把我吓跑，永远躲开她们和她们的仪式。

她们不想让我成为暗夜之女的一员，但又不想告诉娜菲丽特她们不要我。所以，她们要我拒绝加入她们。就为了什么变态的原因，恶霸阿芙洛狄忒想让我远离暗夜之女。这种欺负人的事最让我生气了，也就是说，很不幸的，我知道该怎么做了。

啊，糟了，我要去加入暗夜之女。

“佐伊，你没生我气吧？”斯蒂芬·雷小声说。

我眨眨眼，尽量理清思路：“当然没有啦！你是对的，阿芙洛狄忒倒是没有让我捐血什么的。”我把最后一口三明治扔进嘴里，快速嚼着，“嘿，我真的累了。能帮我找个小盒子给娜拉吗？这样我就能睡觉了。”

斯蒂芬·雷马上高兴起来，用她一贯的活力跳下床：“看看这个！”她特意跳到房间的另一边拿起一个绿色的大袋子，上面用白色粗体字印着“菲力西亚南方农业商场，哈佛南2616号，塔尔萨”。她从里面倒出一个小垃圾箱、食物和一盒“喜悦”猫粮（特制的防毛球配方），以及一口袋猫砂。

“你怎么知道的？”

“我不知道。我吃完晚饭回来就看见这个放在门前。”她从袋子底部翻出一个信封和一个可爱的粉色皮项圈，上面缀满了银色的小钉。

“这个，是给你的。”

她把信封递给我，我看见上面印着我的名字，她在哄着娜拉套上项圈。信封里有一张昂贵的米色信纸，上面用漂亮的手写体写了一行字。

斯盖拉告诉我它来了。

下面是用一个字母签的名：N。

第二十章　温暖

我必须去和娜菲丽特谈谈。第二天早上我和斯蒂芬·雷匆匆吃着早餐的时候我思索着这事。我不想告诉娜菲丽特我对元素的奇怪的假想反应——我的意思是，我没有对斯蒂芬·雷说谎。可能一切都是我想象的。要是我告诉了娜菲丽特，而她要我做某种奇怪的感应力测试（在这所学校里，谁知道呢？），然后发现我根本只是想象力过度可怎么办？我可不要经历这种事。在了解到足够的事情之前，我是不会说的。我也不想告诉她关于我可能看见了伊丽莎白的鬼魂这件事。要是告诉她好让她以为我是个神经病什么的。娜菲丽特很酷，但她是个成年吸血鬼，要是我承认看见了鬼魂，我几乎肯定能听见“这只是你的想象，因为你最近经历太多变故了”之类的说教。但是我确实需要和她谈谈关于嗜血的事。（哎呀——要是我那么爱血，为什么这个想法还是让我觉得反胃呢？）

“你觉得它会不会跟着你去教室？”斯蒂芬·雷指着娜拉说。

我看着蜷在我脚边的娜拉，它满意地打着呼噜。“它可以吗？”

“你是说，猫是不是被允许进教室？”

我点头。

“可以，猫可以去任意想去的地方。”

“哈。”我伸手下去挠挠它的头顶，“我猜它可能一整天都跟着我。”

“嗯，我很高兴它是你的猫，而不是我的。闹钟停的时候我看见它，简直就是个枕头恶霸。”

我大笑：“说得没错。这么点的小母猫是怎么把我推下我的枕头，我都不知道。”我又挠了下它的头，“走吧。要迟到了。”

我手里端着碗站起来，差点撞到阿芙洛狄忒。她和往常一样，两边跟着“可怕”和“好战”。“黄蜂”在哪里倒是没有看见（可能她早上冲澡的时候溶化在水里了——嘿嘿）。阿芙洛狄忒讨厌的笑脸让我想起了去年生物课田野实习时在真克斯[①]水族馆看到的水虎鱼。

“嗨，佐伊！天哪，你昨天走得太着急了，我都没机会和你说再见。实在不好意思你昨晚过得不愉快。太糟糕了，不过暗夜之女并不适合所有人。”她瞥了一眼斯蒂芬·雷，嘴角弯起一个弧儿。

“其实，我昨晚过得非常愉快，而且我爱死你送我的裙子了！”我滔滔不绝地说下去，“谢谢你邀请我加入暗夜之女。我接受邀请，全心全意接受。”

阿芙洛狄忒野兽般的笑容彻底崩塌：“真的？”

我笑得像个一无所知的傻子：“真的。下次聚会或者仪式之类是什么时候？或者我去问娜菲丽特就好了？今天早上我要见她。我知道她会很高兴听到你昨晚是那么欢迎我，而且我现在是一个暗夜之女啦。”

阿芙洛狄忒犹豫了片刻，然后又笑了起来，和我那一无所知的傻笑配得恰到好处，“是啊，我打赌娜菲丽特会高兴听到你加入了我们。不过我是领导，对时间安排烂熟于心，所以不要用这些傻问题去

---

①真克斯（Jenks）：俄克拉何马州地名，距塔尔萨市和断箭市都很近。

烦她了。明天是我们的冬节庆典，穿上你的裙子来。”她强调了这个字眼，而我笑得更灿烂了。我的目的达到了。“聚会还是在娱乐厅，晚餐后，凌晨四点半整。”她说。

“太好了，我一定到。”

“好，真是惊喜啊！”她圆滑地说，然后转身离开了厨房，“可怕”和“好战”（她们看着有点轻微的失常）跟在她后面一起出去。

“母夜叉！”我鼻子里哼了一声。我瞥了一眼斯蒂芬·雷，她正盯着我，脸上定格着一副受伤的表情。

“你要加入她们？”她低声说。

“事情不是你想的那样。来吧，上课路上我告诉你。”我把早餐用的碟子放进洗碗机，拖着沉默的斯蒂芬·雷走出宿舍。娜拉安静地跟着我们，偶尔冲路边胆敢靠我们太近的猫嘶叫几声。“我要去侦察敌情，就像你前晚说的。”我解释道。

“别，我不喜欢这样。”她使劲儿摇头，短发狂甩。

“有没有听过一句老话‘亲近你的朋友，更要亲近你的敌人’？”

“听过，但是……”

“我就在这么做。阿芙洛狄忒能从那么多浑蛋事中脱身。她又尖酸又自私。绝对不可能是尼克斯希望的大祭司。”

斯蒂芬·雷瞪圆了眼睛：“你打算阻止她？”

“嗯，我打算试试。”我说话的时候觉得头上的湛蓝色月牙烙印有点刺痛。

“谢谢你送给娜拉猫咪用品！”我说。

娜菲丽特正在批论文，她抬起头冲我微笑一下：“娜拉——这名字很适合它，不过你更应该感谢斯盖拉，是它告诉我娜拉来了。”然后她看了一眼在我腿间不耐烦地绕来绕去的橙色毛球，“它还真腻你！”随后又抬眼直视我，“告诉我，佐伊，你有没有在脑中听到它的声音，或者即使它不和你在一个房间，也知道它的确切位置？”

我眨眨眼，娜菲丽特以为我可能对猫有感应力！“没有，我……我没在脑中听过它的声音。不过它确实老是对我抱怨。而且我还不知道它不和我在一起的时候，我能不能知道它在哪儿。因为它一直都和我在一起。”

“它真讨人喜欢。”娜菲丽特屈起手指招招娜拉，“到我这来，孩子！”

娜拉立刻安静地跑过去，跳上娜菲丽特的桌子，把纸张弄得到处是。

“哦，天哪，对不起，娜菲丽特。”我想去抓娜拉，不过娜菲丽特挥手阻止我。她挠挠娜拉的头，小猫就闭上眼睛，打起呼噜来。

“这里随时欢迎猫，纸张很容易整理的。现在，你来找我其实是想谈什么呢，佐伊小鸟？”

她用我外婆叫我的小名，让我心里一阵伤心，我突然很想外婆，眼睛湿润了。

“你想家吗？”娜菲丽特柔声问。

“没有，倒不是想家。嗯，就是想外婆，只不过一直很忙，所以到现在才意识到。”我内疚地说。

“你不想父母。”

她说的不像是问句，但我觉得还是需要回答：“不想，嗯，我不算真有爸爸。亲爸爸在我很小的时候就离开我们了。我妈妈三年前再婚了，而且，嗯……”

“你可以告诉我。我保证可以理解。”娜菲丽特说。

“我讨厌他！”我没想到自己能说得那么愤怒，“自从他加入我家，”我讽刺地说出这个词，“所有事都不对劲了。我妈妈彻底变了。好像她做了他老婆就不能当我妈了一样。那里已经很久不是我家了。”

“我十岁的时候妈妈就去世了。爸爸没有再婚。但他开始把我当做老婆。从十岁开始到我十五岁时，他一直虐待我。后来，尼克斯用烙印把我拯救出来。”娜菲丽特停顿了一下，让我能反应一下她带给我的震惊，然后继续说道，“所以你看，当我说我理解你家变成无法忍受的地方时，可不是随便说说的老生常谈。”

“太可怕了。”我不知道还能说什么。

“那都过去了，现在只不过是段记忆罢了。佐伊，你生命中出现的人类，以前，甚至现在和将来出现的，都会变得越来越无足轻重，直到你永远对他们失去感觉。在你不断转变的过程中，会更明白这一点。”

她声音中冷酷的平静让我觉得奇怪，然后我听见自己说：“我不想对我外婆不在乎。”

“你当然不会。”她的声音又变得温暖关怀起来，“现在才晚上九点，干吗不给她打个电话呢？可能会赶不及戏剧课，我会替你跟诺兰教授请假。”

“谢谢，我会打的。不过这也不是我想和你谈的。”我深吸一口气，“昨晚我喝了血。”

娜菲丽特点点头：“对，暗夜之女经常在他们的仪式用酒里混合新生的血。年轻人喜欢这样。是不是让你很不舒服，佐伊？”

“嗯，我到事后才知道的。然后，是，确实让我不舒服。”

娜菲丽特皱眉：“阿芙洛狄忒理应之前告诉你的。你应该可以选择的。我回头和她谈谈。”

“别！”我说得太快，随后才强制自己平静一些，“不用了，没有必要。我会自己注意的。我已经决定加入暗夜之女了，所以不想一开始就好像故意要找阿芙洛狄忒麻烦。”

“可能你说得对。阿芙洛狄忒可能会变得很易怒，而我相信你可以照顾好自己，佐伊。我们也确实鼓励新生尽可能自己解决内部问题。”她端详着我，一脸关切，“头几次喝血有点反胃是很正常的。和我们在这里待久一点就会明白了。”

“不是这样的。那……那尝起来很好。埃里克告诉我说我的反应不常见。”

娜菲丽特好看的眉毛扬起来：“确实是。你有没有觉得头晕或亢奋？”

“都有。”我柔声说。

娜菲丽特瞥了一眼我的烙印：“你很特殊，佐伊·里德伯德。嗯，我觉得最好把你从社会学现在这个班调出来，编到社会学高级班去。”

“我真的希望别这样。”我马上说，“人们都盯着我的烙印看的时候，我已经觉得自己够怪了，他们都想看看我是不是行为也很古怪。要是我和已经到这里三年的学生一起上课，他们就真的以为我是怪物了。”

娜菲丽特犹豫着，一边思考一边挠着娜拉的脑袋：“我明白你的意思，佐伊。我的青少年阶段已经过去一百多年了，不过吸血鬼有长期精确的记忆，我还能想起当初转变时的样子。”她叹了口气，“好吧，我们各退一步？我允许你继续待在三年级的社会学课里，但我要给你高级班的教材，你得每周读一章，还要保证和我讨论你遇到的任何问题。”

“成交。”我说。

“你知道，佐伊，随着转变过程，你逐渐变成了一个全新的存在。吸血鬼不是人类，虽然我们有人性。现在听起来你可能会很不认同，但是在你的新生命里，你对血的欲望就像你从前对……”她停下微笑了一下，“可乐的欲望一样正常。”

“天！你什么都知道吗？”

“尼克斯慷慨地赋予我天赋。除了对我们可爱的猫科动物的感应力以及我的治愈力之外，我还有很强的直觉。”

“你能读出我的思想？”我紧张地问。

“不能这么说，不过我可以获得一些痕迹。比如说，我知道关于昨夜，你还想告诉我一些其他事情。”

我深吸一口气：“我发现血的事情之后很不高兴，就跑出了娱乐厅。就这么发现了娜拉。它在一棵很靠近学校围墙的树上。我以为它困在那儿了，就爬上墙去够它下来，嗯，我正和它说话的时候，有两个我原来学校的孩子来找我。”

“发生了什么事？”娜菲丽特的手停下来，不再拍娜拉，注意力都集中在我身上。

“不太好。他们……他们抽了烟，还喝多了。”好吧，我不是故意要冲口而出的！

“他们想伤害你吗？”

“没有，他们不会的。那是我的前好友和前准男友。”

娜菲丽特又对我扬起眉毛。

“嗯，我已经不和他约会了，不过我们还有点想念。”

她点头表示明白：“继续说吧。”

“凯拉和我有点争执。她看我不同了，而且我估计我看她也不同了。而我们两个都不喜欢对对方新的观感。”我一边说才一边意识到真的是这样。凯并不是真的变了——事实上，她一直都一样。只不过有些小事我以前都忽略了，像她的废话连篇和刻薄的一面现在突然让我难以接受了。“总之，她离开了，而我和希斯单独在一起。”我停下来，不确定还要不要说下去。

娜菲丽特眯起眼睛：“你对他有嗜血的欲望。”

“是的。”我低声说。

“你有没有喝他的血，佐伊？”她的声音尖锐起来。

“我只尝了一滴。我抓伤了他。我不是故意的，但当我听到他脉搏的声音时，我就抓了他。”

“这么说你没有从他的伤口吸血？”

“我正要开始，但凯拉回来打断了我们。她完全吓坏了，也就是这样我才打发希斯走。”

“他不想走？”

我摇头：“对，他不想走。”我觉得自己又快哭了，“娜菲丽特，对不起！我不是故意的。凯拉尖叫起来的时候我甚至不知道自己在干什么。”

“你当然没有明白发生了什么。一个才刚被烙印的新生怎么会知道嗜血的事情？”她安慰地摸着我的胳膊，像妈妈一样的姿势，“你大概还没有印记。”

“印记？”

“这在吸血鬼直接从人类身上吸血时经常发生，特别是如果吸血者和供血者之前已经有所羁绊。所以我们才禁止新生喝人类的血。其实，我们也强烈劝阻成年吸血鬼吸人血。有一支吸血鬼部族认为这是违反道德的，希望能立法禁止。”她说。

我看见她说话时眼睛变得幽暗。眼神突然让我非常紧张，我打了个寒战。娜菲丽特随后眨了下眼睛，又变得正常了。那种奇怪的幽暗眼神不会是我想象出来的吧？

“但是这件事最好还是等你上六年级的社会学课上再讨论。”

“我该拿希斯怎么办？”

“什么也不做。下次他想见你的时候告诉我。要是他给你打电话，别接。要是他开始被印记了，就算是你的声音也能影响他，把他引诱到你身边来。”

“听起来像《德库拉》的故事。”我咕哝着。

“和那本破书一点都不一样！”她咬牙切齿地说，“斯托克污蔑吸血鬼，导致我们和人类之间产生没完没了的麻烦。”

“对不起，我不想……”

她不屑地挥挥手：“不是，我不该把对这种老旧蠢书的怒气对你发泄。也别担心你的朋友希斯，我确定他会好的。你说他抽烟喝酒？我想你说的是更有害的事吧。”

我点头：“但是我没参加。”我又补充道，“其实，他和凯拉一起都没有吸过，我不知道他们到底发生了什么事。我想他们和几个联队的瘾君子球员一起玩，而这两个谁也没有说不的能耐。”

“嗯，他的反应可能更像是中毒，不太像被印记。”她停下来，从书桌抽屉里拿出一个便笺本，又递给我一支铅笔，“但是为了以防万一，就写一下你朋友的全名和住址。哦，也加上联队球员的名字，如果你认识的话。”

“为什么需要所有人的名字呢？”我的心一沉，“你不会是要告诉他们的家长吧？”

娜菲丽特大笑：“当然不是。人类青少年的不良行为和我没有关系。我问他们的事只是想集中精力在这个团体上，没准儿能从中找出些可能被印记的痕迹。”

“要是你发现了怎么办？希斯会怎么样？”

“他还年轻，印记会很弱，所有时间和距离最终会让印记淡化。就算他真的被烙印得很深，也有破除的方法。”我正想说，没准儿她可以开始做任何事情，破除印记，而她又继续说道，“没有一种方法是很愉快的。”

“哦，好吧！”

我写了凯拉和希斯的姓名住址。我完全不知道联队的家伙们住哪里，不过倒还记得他们的名字。娜菲丽特起身，走到教室后面，找出一本厚厚的教材，封面用银字写着“社会学高级”。

“从第一章开始，看完整本书。你就把看完这本书当做作业，我留给初级班的作业就不用做了。”

我拿起书，书很重，我紧张发热的手紧抓着凉凉的封面。

“要是你有什么问题，什么都行，马上来找我。如果我不在这里，你可以到尼克斯神庙里我的公寓找我。从前门进，沿着右边的楼梯走。我目前是学校里唯一的祭司，整个二楼都是我的。别怕打搅我。你是我的新生——你的工作就是打搅我。”她温暖地微笑着。

“谢谢你，娜菲丽特。”

“尽量别担心。尼克斯触摸过你，女神会亲自照顾你的。”她拥抱了我一下，“我现在去告诉诺兰教授你要耽搁一下。去用我桌子上的电话打给你外婆。”她又抱了我一下，然后离开了，并随手关上了门。

我在她桌前坐下来，觉得她真的很伟大，就连妈妈也很久没这么抱过我了。出于某些原因，我哭了起来。

第二十一章　拒绝

“嗨，外婆，是我。”

“哦！我的佐伊小鸟，你好吗，宝贝儿？”

我冲电话笑笑，抹了抹眼睛：“我很好，外婆，就是想你。”

“小鸟，我也想你。”她停顿一下然后说，“你妈妈给你打过电话吗？”

“没有。”

外婆叹了口气：“好吧，宝贝儿，你刚开始新生活，可能她不想打搅你吧。娜菲丽特向我解释你的作息会日夜颠倒，我也确实告诉你妈妈了。”

“谢谢，外婆，不过我觉得这不是她不给我打的理由。”

“也可能打过了，但你没接到。我昨天打你手机了，但转到你的语音信箱了。”

我感到一阵内疚，我都没有查手机信息。“我手机忘记充电了，现在还放在房间里。不好意思，没接到你的电话，外婆。”然后，为了让她感觉好些（也让她别谈这个），我说，“等我回房间就查手机，可能妈妈打过了。”

“可能她打过了，宝贝儿。嗯，跟我说说，那里好吗？”

“很好，我是说，有很多我喜欢的东西。我的课程都很酷。嘿，外婆，我甚至要上击剑和马术课。”

“太好了！我记得你有多喜欢骑小兔。”

“我还有了只猫！”

“哦，佐伊小鸟，我太高兴了。你一直都很爱猫。有没有和其他孩子交朋友？”

“有啊，我的室友斯蒂芬·雷，她人很好。而且我也喜欢她的朋友。”

“嗯，要是所有的事情都很好，为什么要哭呢？”

我早就该知道什么事都瞒不过外婆：“就是……就是有些关于转变的事情很难处理。”

“你身体好了，对吧？”她的声音里有着深深的担忧，“你的头没事吧？”

“没事，并不是这样的事情，是……”我停下来。我想告诉她，我非常想告诉她，想得快爆炸了，但我不知道怎么说，而且我害怕她不会再爱我了。我是说：妈妈已经不爱我了，对不对？或者，至少是，妈妈用我去交换她的新丈夫，某种程度上比不爱我还糟。要是外婆也不理我了，我可怎么办哪？

“佐伊小鸟，你知道你可以和我说任何的事。”她轻柔地说。

“很难说出来，外婆。”我咬住嘴唇，不让自己哭出来。

“我不为难你。你说什么都不会阻止我对你的爱。我今天、明天、明年是你的外婆，就算等我回到精灵世界，加入祖先们的行列，也永远是你的外婆，我会一直爱你，小鸟。”

“我喝了血，而且我还很喜欢！”我脱口而出。

外婆没有任何犹豫地说：“嗯，宝贝儿，吸血鬼不就是这样的吗？”

“是的，但是我不是吸血鬼，我只是才几天的新生。”

“你很特别，佐伊，一直都是。现在也不会变吧？”

“我没觉得特别，就觉得自己像怪物。”

“那你想想，你还是你，不管是不是被烙印，也不管是不是要通过转变。你内在的灵魂还是你的灵魂。外表上你可能看着像个熟悉的陌生人，但你只要向内心寻找，就能找到你已经认识了十六年的自己。”

“熟悉的陌生人……”我轻声说，“你怎么知道呢？”

“你是我的姑娘，宝贝儿。你是我灵魂的女儿。我不难理解你的感受，就像我在想象自己的感受。”

“谢谢你，外婆。”

“别客气，u-we-tsi-a-ge-ya。”

我笑了，很喜欢切罗基语里“女儿”这个词的发音——很有魔力，又很特殊，就像女神赠与的头衔。女神赠与的……

“外婆，还有点事。”

“告诉我，小鸟。”

“设立守护圈的时候，我觉得我能感觉到五种元素。”

“要是果真如此，你可是被赋予了了不得的力量，佐伊。但你要知道强大的能力也伴随着强大的责任。咱们家族的历史里，部落长老、医者和智妇层出不穷。要小心，小鸟，三思而行。女神不会心血来潮就赋予你特殊的力量，小心使用，让尼克斯和你的祖先都能微笑看着你。”

“我会尽力的，外婆。”

“这也是我对你的全部要求了，佐伊小鸟。”

“这里也有个女孩有特殊的力量，但是她很糟，她欺负人，还撒谎。外婆，我想……我想……”我深吸一口气，说出了今早在我脑中酝酿已久的话，“我觉得我比她强，而且我觉得尼克斯给我烙印就是为了把她从现在的位置上拉下来。但是……但是这就是说我得取而代之，而我不知道自己是不是准备好了，或许现在不是时候。可能以后也不会吧。”

“跟随你灵魂的指引，佐伊小鸟。”她犹豫了一下说，“宝贝儿，你还记得我们族人的净化祈祷吗？”

我想了想。记不清多少次我和外婆一起去她家后面的小溪中，看着她在活水中做仪式性的沐浴，念着净化的祈祷词。有时候我也和她一起走到溪水中念祈祷词。祈祷词伴随着我的整个童年，在季节更替、感谢熏衣草丰收，或准备过冬时念，外婆面临什么难以决定的事情也会祈祷。有时候我都不知道她为什么要净化自己并祈祷，只是就一直这么做着。

“是啊。”我说，“我记得。”

“学校范围内有活水吗？”

“我不知道，外婆。”

“嗯，要是没有的话，就找些东西来当熏香。鼠尾草和熏衣草混合最好，要是没有的话用新鲜的松枝也行。你知道要做什么吗，佐伊小鸟？”

“给自己熏香，从脚开始，从下向上，从前向后。”我重复着，好像小时候外婆用族人的方式训练我，“然后面朝东，念净化祈祷词。”

“很好，你都记得。请求女神的帮助，佐伊。我相信她会听到的。明天日出前你能做吗？”

“我觉得可以。”

“我也会一起祈祷，用外婆的声音请求女神指引你。”

瞬间我觉得好多了。外婆在这些事上绝对不会错。要是她相信没问题，那就会没问题。

“我会在黎明前念净化祈祷词。我保证。”

“很好，小鸟。现在我这个老妇人最好让你走了，你还在上课，对吗？”

"对，我正要去上戏剧课。还有，外婆，你永远都不会老。"

"只要能听到你年轻的声音我就不会老，小鸟，我爱你，u-we-tsi-a-ge-ya。"

"我也爱你，外婆。"

和外婆谈过之后，我心中的大石没了。我对未来仍然惊恐与畏惧，而且我也不敢多想把阿芙洛狄忒拉下马，更别提我真的不知道该怎么做了。不过我还是有计划了，好吧，可能算不上是计划，但至少有事情要做。我要完成净化祈祷，然后……嗯……再说之后要做什么吧。

对啊，这样肯定有用。至少在上午的课上我一直这么告诉自己。午饭时候，我决定好了仪式的地点——就在墙边我发现娜拉的那棵树下。我一边想一边跟着双胞胎在色拉吧排队。树，特别是橡树，对切罗基人来说是神圣的，所以这个地方应该是个好选择。另外，那里又隐蔽又容易去。当然，希斯和凯拉在那里找到过我，但我也不打算再坐在墙头了，不管他有没有被我烙印，我想他也不会连续两天都在黎明时出现。我的意思是，这家伙夏天的时候一直睡到下午两点，每天都是。需要用两个闹钟再加上他妈妈的尖叫才能让他起床去上学。这孩子不会再在黎明前起身的。经过昨天，他可能需要几个月恢复。不，事实上，他可能会偷偷溜出家和凯（对她来说，溜出家门易如反掌，她父母全不知情）见面，然后玩上一夜。也就是说，他逃学，而且装病在家睡两天觉。总之，我不担心他出现。

"你不觉得玉米笋很吓人？长得这么小肯定有什么毛病。"

我吓了一跳，差点把酸奶色拉酱里的长勺掉进一种白色液体的大桶里，我抬头正好看见埃里克蓝色眼睛含着笑。

"哦，嗨！"我说，"你吓到我了。"

"Z，我觉得我已经习惯偷偷跟踪你了。"

我紧张地笑笑，非常清楚双胞胎正在观察着我的一举一动。

“看来你已经从昨天的事中恢复过来了。”

“是啊，没事了，我很好。而且这回我没撒谎。”

“我听说你加入了暗夜之女。”

肖妮和艾琳同时抽了口气。我努力不看向她们。

“对。”

“那很好啊，那个团体需要新鲜血液。”

“你说‘那个团体’，好像你不是似的，你难道不是暗夜之子？”

“我是，但和做一个暗夜之女不一样。我们就是个装饰，和在人类世界相反。所有的人都知道我们不过就是摆设，取悦阿芙洛狄忒的。”

我抬眼看着他，从他眼中读到了别的意思：“你现在还在做吗，取悦阿芙洛狄忒？”

“我昨天就说了，不再做了，这也是我觉得自己不属于那个团体的原因之一。我相信要不是我还有点演技的话，早被他们正式踢出去了。”

“被百老汇和洛杉矶看中也是因为你说的‘有点’？”

“就是这个意思。”他朝我咧嘴一笑，“不是这样的，你知道，表演都是假装的，不是真正的我。”他弯腰在我耳边低语，“真的，我很笨。”

“哦，拜托！这种台词该是你说的吗？”

他做出一个被冒犯的夸张表情：“台词？不是，Z。那不是台词，我可以证明。”

“你当然可以。”

“我就是可以。今晚和我去看电影。我们看我最喜欢的DVD。”

“那能证明什么？”

“是《星球大战》，原版。我知道所有的台词。”他靠我更近，轻声说道，“我甚至能表演楚巴卡的部分。”

我大笑："你说得对，你是个笨蛋。"

"我就说嘛！"

我们盛好色拉，他和我一起走到达米恩、斯蒂芬·雷和双胞胎坐着的桌子旁。哦，不，他们一点都不掩饰一下，就这么呆呆地看着我们两人。

"嗯，你要……和我去……今晚？"

我能听到他们四个都屏住了呼吸，真的。

"我很想去，不过今晚不行。我……呃……已经有安排了。"

"哦，好吧那就……下次。再见。"他向那四人点点头，就走开了。

我坐下。他们全都盯着我。"怎么了？"我问。

"你已经彻底疯了。"肖妮说。

"我也是这么想的，好姐妹。"艾琳说。

"我希望你真的有好理由把他放走。"斯蒂芬·雷说，"很明显你伤害了他的感情。"

"你们想他会不会让我安慰他？"达米恩说。他还痴痴地望着埃里克的背影。

"算了吧。"艾琳说。

"他可和你不一样。"肖妮说。

"嘘！"斯蒂芬·雷说，她转身，直直地看着我的眼睛，"你干吗拒绝他？有什么比和他约会还重要？"

"摆脱阿芙洛狄忒。"我简单地说。

第二十二章　反抗

“这倒是很重要。”达米恩说。

“她加入了暗夜之女。”肖妮说。

“什么！”达米恩尖叫道，声音提高了有二十个八度。

“别吵她！”斯蒂芬·雷立刻就过来支持我，“她在侦察敌情。”

“刺探敌情，见鬼！她要是加入了暗夜之女，就是掉进了敌人的老窝。”达米恩说。

“嗯，她已经加入了。”肖妮说。

“我们听她自己说的。”艾琳说。

“喂！我还在这儿呢。”我说。

“这样的话，你打算怎么做？”达米恩问我。

“我其实还不知道。”我说。

“你最好想出个计划来，赶快想一个，不然那些巫婆就要把你当午餐了。”艾琳说。

“对。”肖妮说，恶狠狠地嚼着色拉，故意弄出声音。

“嘿！她不用孤军奋战。她有我们呢。”斯蒂芬·雷双手抱胸，瞪着双胞胎。

我用微笑向斯蒂芬·雷表示感谢：“嗯，我稍微有点想法了。”

“很好，告诉我们，大家一起来集思广益。”斯蒂芬·雷说。

每个人都期待地看着我。我叹了口气：“嗯，呃……”我开始犹豫了，生怕说出来像个傻子。然后我决定，可以把和外婆谈过之后的想法告诉他们，所以一口气冲出口：“我想根据切罗基族的仪式举行一个古代的净化祈祷，请尼克斯帮助我们想出一个计划。”

一桌人好像就这么沉默下去了。终于，达米恩说：“请尼克斯来帮忙倒不是个坏主意。”

“你是切罗基人？”肖妮问。

“你看着像切罗基人。”

“喂！她姓里德伯德，就是切罗基人。”斯蒂芬·雷板上钉钉地说。

“那很好啊。”肖妮说，但她看起来还是很怀疑。

“我只是想尼克斯可能能听到我的话，而且……可能……能给我某种暗示，提示我对恐怖的阿芙洛狄忒该如何做。”我看着每一位友人，“我心里在说不能对她的所作所为无动于衷。”

“让我告诉他们！”斯蒂芬·雷突然说，“他们不会告诉其他人，真的。要是他们知道了，可能有所帮助。”

“在搞什么鬼啊？”艾琳说。

“好吧，现在你别无选择了。”肖妮说，用叉子指着斯蒂芬·雷，“她知道要是她这么一说，我们会把你缠到你最终告诉我们到底是怎么回事。”

我向斯蒂芬·雷皱皱眉，她不好意思地耸耸肩说：“对不起。”

我不情愿地压低声音，向前倾身说：“你们要保证不会泄密。”

“保证。”他们说。

“我认为我可以在守护圈设立时感受到五种元素。”

沉默，他们只是盯着我，其中三个人吓到了，而斯蒂芬·雷则沾沾自喜。

“这么一说，你们还觉得她不能把阿芙洛狄忒拉下马？”斯蒂芬·雷说。

“我就知道你的烙印不只是摔倒、磕到头这么简单！”肖妮说。

“哇！”艾琳说，“这真是个好八卦主题。”

“不能和其他人说！”我赶紧说。

“拜托，”肖妮说，“我们只是说以后某天会变成好八卦主题。”

“我们知道好八卦是要等的。”艾琳说。

达米恩无视她们俩：“我记得历史记录里还没有任何一个大祭司拥有对五种元素的感应力。”他说话的时候声音变得越来越兴奋，“你知道这意味着什么吗？”他没给我回答的时间又接着说，“这意味着你可能会成为吸血鬼历史上最强威的大祭司。”

“嗯？”我说，“强威？”

“强大——有威力，”他不耐烦地说，“你大概真的可以把阿芙洛狄忒搞下去！”

“现在，这才是真正的好消息。”艾琳说，肖妮也很热切地点头称是。

“那么我们什么时候，在哪里做净化什么的？”

“我们？”我问。

“你可不能一个人做啊，佐伊。”她说。

我张嘴想反对——我的意思是，我自己都还不确定要做什么。我不想把朋友们都卷进未知的——很可能会一团糟的事情里去。不过达米恩仍旧没有给我时间说话。

“你需要我们。”他直白地说，“就算是最有力的大祭司也需要有她的守护圈。”

“嗯，我还没想过要设立守护圈，只是想做个净化祈祷之类的。”

“能不能设个守护圈祈祷，再请求尼克斯的帮助？”斯蒂芬·雷问。

“听上去很合理。”肖妮说。

“另外，如果你真的有对五种元素的感应力，我打赌你设立自己的圈子时我们会感觉得到。对吧，达米恩？”斯蒂芬·雷说。所有人都看向这个喜欢男孩的学者。

“我听着很合理。”他说。

我还想争辩，虽然我内心对朋友们的支持感到轻松、快乐和感激。他们不会让我单独面对不确定的状况。

珍惜他们，他们是无价的珍宝。

熟悉的声音浮现在我的心中，自从尼克斯亲过我的前额，永远改变了我的烙印和生命后，我就有这种内在的本能，我意识到不该质疑这种新的本能。

“好吧，我需要一束熏香棒。”他们茫然地看着我，我只好继续解释道，“这是为净化仪式准备的一部分，因为我不可能用流水，可以吗？”

“你是指溪流或者河之类的吗？”

“对。”

“嗯，餐厅的院子外有一条小溪流过，然后就消失在学校地下的什么地方了。”达米恩说。

“这可不好，太公开了。我们还是用熏香棒吧。如果是干熏衣草和鼠尾草混合的最好，不过用松枝也可以。”

“我可以弄到鼠尾草和熏衣草。”达米恩说，“学校的小卖部里有给五六年级咒语和仪式课用的这类东西。我就说是帮某个高年级学生买的。其他还需要什么吗？”

“嗯，外婆说净化仪式上需要感谢切罗基人尊崇的七个神圣的方位：北、南、东、西、太阳、大地和自己。不过我觉得应该要改得更为尼克斯所专用一些。”我咬着嘴唇，思考着。

“我觉得这么做比较聪明。”肖妮说。

“对。”艾琳补充道，“我是说，尼克斯和太阳没有联系，她是夜。”

“我觉得你应该顺着你的直觉。”斯蒂芬·雷说。

“大祭司要学会的第一件事就是相信自己。”达米恩说。

“好的，那我还需要代表五种元素的蜡烛。”我决定了。

“小菜一碟。”肖妮说。

“就是，神庙从来不上锁，那里有无数守护圈用的蜡烛。”

“这样拿走好吗？”从尼克斯神庙偷东西绝对不是个好主意。

“我们用完再送回来就没事。”达米恩说，“还有其他的吗？”

“就这些了。”我想，见鬼了，我不确定。我也不是很清楚自己在做什么。

“那时间和地点呢？”达米恩问。

“晚餐之后。先定五点吧。我们不能一起去。不能让阿芙洛狄忒和其他暗夜之女觉得我们好像有什么活动，而对我们起疑。所以我们在东边围墙的大橡树下见吧。”我对他们不自然地笑笑，“要是你假装为了逃开那帮巫婆，从娱乐厅里暗夜之女的仪式上跑出来，就很容易找到这个地方。”

“这个不怎么需要假装。”肖妮说。

艾琳鼻子里哼了一声。

“好的，我们带着东西去。”达米恩说。

“对，我们带东西，你带着你的‘强威’去。”肖妮说着，自作聪明地看了一眼达米恩。

“这个词用得不对。你知道，你真的应该多读点书。没准儿你的词汇量还能有点长进。”达米恩说。

“你妈才需要多读点书呢。”肖妮说，这个“你妈”的笑话太冷了，她和艾琳都忍不住笑成一片。

我很高兴他们终于把话题从我身上转移开了，趁着他们来来回回吵嘴，我一边吃着色拉，一边想着自己的事情。我嘴里嚼着，脑子里尽力回忆净化祈祷词，娜拉跳上长椅，到我身边。它用大眼睛看着我，靠在我身上，开始像飞机引擎那么响地打着呼噜。不知道为什么，不过它让我感觉好多了。铃响了之后，我们赶紧冲到教室去，我的四个朋友都冲我笑笑，神神秘秘地眨眨眼说："一会儿见，Z。"他们也让我舒服多了。虽然他们这么轻易地就用了埃里克对我的称呼让我心里刺痛了一下。

西班牙语课过得很快：整节课就学怎么说"我们喜欢什么东西"和"不喜欢什么东西"。嘉米教授夸了我。她说这会改变我的生活。Me gusta gatos.（我喜欢猫。）Me gusta ir de compras.（我喜欢购物。）No me gusta cocinar.（我不喜欢做饭。）No me gusta lavantar el gato.（我不喜欢给猫洗澡。）这些都是嘉米教授喜欢的句子，而我们花了一个小时造自己的句子。

我尽量不造出这样的句子，像me gusta Erik...和no me gusta el hag-o Aphrodite[①]。好吧，我知道西班牙语里的巫婆不是el hag-o，不过，就这样吧。总之，整节课上得很有意思，我也能明白我们到底在说什么。骑术课过得没那么快。清理马厩的时间很适合思考——我一遍一遍地想着净化祈祷词——但这一个小时真的有一个小时。这次斯蒂芬·雷不用来接我了。我有点紧张过度，没时间概念了。铃响之后我马上收拾好马梳。我很高兴雷诺比亚还让我给珀耳塞福涅梳毛，她告诉我下周她觉得我可能真的可以开始骑它了，这个消息让我满心欢喜。我冲出马厩，希望这个小时之后我回到"现实"世界还不算太晚。我真想给外婆打电话，告诉她我和马匹相处得很好。

"我知道你要搞什么。"

我发誓我差点呛死："天哪，阿芙洛狄忒！你就不能弄点动静出

①这两句的意思就是"我喜欢埃里克"和"我不喜欢巫婆阿芙洛狄忒"。

来！你是什么，蜘蛛？你差点把我吓死。”

“怎么了？”她哑着声音说，“心虚了？”

“呃，你鬼鬼祟祟站在人身后，吓到他们。和心虚一点关系都没有。”

“这么说你没心虚？”

“阿芙洛狄忒，我不知道你在说什么。”

“我知道你今晚在计划什么。”

“我还是不知道你在说什么。”啊，糟了！她是怎么发现的？

“每个人都以为你很可爱、很无辜，他们都对你那怪异的烙印印象深刻，但我可不上当。”她转身面对我，我们站在人行道中间。她眯起蓝眼睛，面孔扭曲，变得像吓人的巫婆。哈，我真想知道（一段时间）要是双胞胎知道她们给她起的外号有多精确会怎么样。“不管你听到别人胡说八道什么，他都是我的，永远是我的。”

我睁大眼睛，紧张瞬间松懈下来，让我想笑。她在说埃里克，不是净化祈祷！“哇，你说这话简直像埃里克他妈。他知道你在查他的勤吗？”

“在过道你看见我跟他那样的时候，也像他妈？”

她确实知道。随便了。我估计这种对话也不可避免：“不像，你那时候倒是不像埃里克他妈。你看着就像你的本性——无可救药了——一个男人已经很清楚地说不要你了，你还可怜兮兮地想投怀送抱。”

“臭婊子！没人敢这么和我说话！”

她抬起像爪子一样的手，想要掴我耳光。然后这个世界仿佛停住了，只剩我们两个被包在一个气泡里，在慢动作播放。我抓住她的手腕，轻松阻止了她——轻而易举。就好像她是个生病的小孩，奋力打我，但力气太小，伤不了我。我抓住了她一会儿，看着她仇恨的眼神。

“别想再打我！我可不是你能欺负的小孩子。记住了，从现在开始就记住。我不怕你。”然后我甩开她的手腕，震惊地看到她向后摇晃了几步才站住。

她搓着手腕，瞪着我：“明天不用来了。就当你没被邀请过，也不再是暗夜之女了。”

“真的吗？”我冷静得不可思议。我知道我还有王牌，于是就抽了出来：“这么说，你要向我的导师、大祭司娜菲丽特解释喽？她本来希望我加入暗夜之女，而你把我赶出来，只是因为你嫉妒前男友喜欢我。”

她面色苍白。

“哦，你肯定知道，要是娜菲丽特问起我这事，我会非常难过。”我吸了吸鼻子，假装啜泣。

“你知道加入一个没人欢迎你的团体会怎么样吗？”她咬牙切齿地吼着。

我觉得胃里发紧，勉强自己不让她看出她敲中了我的神经。对，我非常清楚在一个团体中——比如一个家庭——却感觉到没人欢迎是什么样子，但阿芙洛狄忒不会知道的。我反而一笑，用最甜美的声音说：“为什么呢？你这话是什么意思，阿芙洛狄忒？埃里克也是暗夜之子，今天午饭的时候他还告诉我，我加入暗夜之女他有多高兴呢。”

“你可以来参加仪式。假装是暗夜之女的一员，但你最好记得，她们是我的暗夜之女。你只是个局外人，没人欢迎你。你还得记得，埃里克·奈特和我之间的纽带你是不会懂的。他不是我的前什么人。你没有看到最后我们玩的小游戏。他过去是，现在也是我希望他成为的那个人，我的人。”说完她甩着一头金发大步走开了。

还没喘两口气，斯蒂芬·雷就从人行道旁不远处的一棵橡树后面钻出脑袋，说：“她走了？”

“谢天谢地，她走了。”我冲她摇摇头，“你在那后面干什么呢？”

“开什么玩笑？我在躲她。她把我的魂都吓没了。我过来见你，看见你们俩在吵架。天，她真的想打你！”

“阿芙洛狄忒的自控能力很有问题。”

斯蒂芬·雷大笑。

“呃，斯蒂芬·雷，你可以从后面出来了。”

她继续大笑着，跳到我身边来，挽起我的胳膊：“你真的开始反抗她了！”

“我还真做了。”

“她真的恨死你了。”

“她确实真的恨死我了。”

“你知道这意味着什么吗？”斯蒂芬·雷说。

“知道，我现在别无选择了，我必须要把她打倒。”

“对。”

但我知道在阿芙洛狄忒想要挖出我的眼睛之前我已经别无选择了。自从尼克斯给我烙印开始，我就别无选择了。斯蒂芬·雷和我走在煤气灯照耀下的浓厚夜色中，女神的话在我的脑子里一遍一遍盘旋：*你早已超出了你的年龄，佐伊小鸟。相信自己能找到方法。但要记得，黑暗并不总是等同于邪恶，正如光明并不一定总是带来善良。*

第二十三章 净化

“希望其他人能找到这里。”我一边和斯蒂芬·雷在大橡树边等着，一边环视四周，“昨晚好像没这么黑呀。”

“是没有，今天晚上太阴了，月光照不透。不过别担心，转变会让我们的夜视力变得相当好。见鬼，我觉得我可以和娜拉看得一样清楚。”斯蒂芬·雷宠溺地挠着娜拉的脑袋，而娜拉闭着眼，打着呼噜。“他们会找到我们的。”

我靠着树，还是担心。晚餐很好吃——非常美味的烤鸡、味道浓郁的米饭和嫩豌豆（这个地方可以称道的地方之一就是他们的厨师很棒）——直到埃里克来我们这桌打招呼前，每一样都棒极了。好吧，他的招呼和“嗨，Z，我还喜欢你”不同，而是“嗨，佐伊”这么简单而已。对，就这样。他取了吃的，和几个双胞胎认为很辣的男生一起走。我得承认我根本没注意到他们。我只顾着看埃里克了。他们走到我们的桌子前，我抬头一看，微笑了一下。有那么一秒的时间我们的眼神交汇了一下，他说：“嗨，佐伊！”然后就走了。瞬间烤鸡也不怎么好吃了。

“你刚刚伤了他的自尊了。对他好点，他就会再约你了。”斯蒂芬·雷说，把我的思绪带回到树下。

“你怎么知道我在想埃里克？”我问。斯蒂芬·雷停下拍娜拉的手，所以在它抱怨之前，我又接手挠它的头顶。

“因为我也在想这事。”

“好吧，我应该想必须要设守护圈的事，但我这辈子从来没设过守护圈，也没做过净化仪式，而不该想男孩子的事。”

“他不是随便一个男孩子，他是最好——的男孩子。”斯蒂芬·雷拖着长音，让我不禁笑了出来。

“你们一定在谈埃里克。”达米恩从墙的阴影里踱出来，说，“别担心！据我观察午饭时候他看你的样子，他会再约你的。”

“对，听他的。”肖妮说。

“他是咱们之中的男性问题专家。”艾琳也边说边走到了树下。

“没错。”达米恩说。

在他们把我的头弄疼之前我先转移了话题：“你拿到咱们需要的东西了吗？”

“我得自己动手把干鼠尾草和熏衣草混合在一起。希望我扎成这样没问题。”达米恩从夹克袖子里抽出干草药扎成的熏香，递给我。很粗，几乎有一英尺长，我立刻就闻到了熟悉的熏衣草甜香。他在香草的尾部用加粗的线扎得结结实实。

“完美。”我冲他微笑一下。

他看起来松了口气，然后有点腼腆地说：“用的是我绣十字绣的线。”

“嘿，我之前告诉过你，喜欢十字绣也没什么好害羞的。本来是个很可爱的爱好嘛。何况，你也很擅长啊。”

“我爸要是这么想就好了。”达米恩说。

我不喜欢听见他声音里的伤感，于是说：“希望你什么时候能教我。我一直想学十字绣。”我撒了谎，不过很高兴看见达米恩又容光焕发了。

“随时欢迎，Z。”他说。

“还有蜡烛呢？”我问双胞胎。

“嘿，我们说过的，小菜……”肖妮打开小包，掏出绿色、黄色和蓝色的祈祷用蜡烛，都插在相对应颜色的厚玻璃杯里。

“一碟。”艾琳从她的包里掏出红色、紫色的祈祷用蜡烛，同样插在对应颜色的容器里。

“好了，来，咱们想想看。咱们挪到那儿去，离树干稍有点距离，不过还是在树荫下。”他们跟着我往外走了几步。我看着蜡烛，该怎么做呢？或许我该……我想着想着，就知道了。根本不用停下来想怎么做、为什么或质疑直觉，知识就突然出现在我脑中，我只要照做就行：“我要给你们一人一支蜡烛。然后，就像娜菲丽特的满月仪式上的吸血鬼一样，你们每人要代表一种元素。我则是精灵。”艾琳递给我紫色的蜡烛。“我站在圈子中间。你们围着我站好位置。”我毫不犹豫地从艾琳手中接过红色的蜡烛，再递给肖妮，“你是火。”

“听起来不错。我是说，谁都知道我有多火辣。”她咧嘴一笑，扭着身体走到圈子的南边。

接下来是绿色的蜡烛，我转向斯蒂芬·雷：“你是大地。”

“绿色是我最喜欢的颜色！”她说着，很高兴地站到了肖妮的对面。

“艾琳，你是水。”

“好。我原来要是想凉快一点，就喜欢躺到水里。”艾琳走到了西边的位置上。

“那我就是空气了。”达米恩说着就接过了黄色的蜡烛。

“对。你的元素是圈子的起点。”

“有点像我希望自己能开启人们的心灵。”他说着走到的东边的位置上。

我温暖地向他一笑：“对，有点像。”

“好了，接下来做什么？”斯蒂芬·雷问。

“嗯，用点燃熏香的烟雾净化我们自身。”我把紫色蜡烛放在脚下，以便于专注在熏香上，接着翻了个白眼，“嗯，见鬼。有人记得带火柴或打火机之类的东西了吗？”

“当然啦。”达米恩说着从口袋里掏出一个打火机。

“谢谢，空气。”我说。

“别客气，大祭司。”他说。

我没再说什么，但是他这么称呼我的时候，一阵兴奋的战栗滑过全身。

“使用熏香的方法。”我说，很高兴我的声音比我想象的要冷静。我站在达米恩面前，决定我应该从圈子的起始点开始仪式。我发现我可以很诡异地模仿外婆和我小时候所学的，我开始向朋友们解释过程。“熏香是一种对个人、处所、任何有负能量的物体、精神或影响的仪式性清洁方式。熏香仪式要点燃特殊、神圣的植物或草药树脂，然后将物体穿过烟雾，或者将烟扇到人和处所的周围。植物精灵会净化它所熏过的事物。”我对达米恩微笑一下，“准备好了吗？”

“毋庸置疑。”典型的达米恩式回答。

我点燃熏香束，让火焰在干草上烧了一会儿，然后吹灭，余火带来了很好的烟雾。我从达米恩的脚开始，让烟飘过他的全身，同时继续解释古代的仪式。

“很重要的一点是，要记得我们正在请求神圣的植物精灵帮助我们，我们要承认他们的力量，向他们表示真正的敬意。”

“熏衣草和鼠尾草有什么作用？”斯蒂芬·雷从圈子另一头问我。

我一边给达米恩的身体熏香，一边回答道：“白色鼠尾草经常在传统仪式上使用，可以驱走负面能量、精灵和影响。其实沙漠鼠尾草功效是一样的，但是我更喜欢白色鼠尾草的香甜味道。”我已经熏香到了达米恩的头部，我对他咧嘴一笑：“选得好，达米恩。”

“有时候我觉得自己可能有点超感。”达米恩说。

艾琳和肖妮鼻子里哼了一声，不过我们没理她们。

“好了，现在顺时针方向转身，我要净化你的后背。”我和他说，他转身之后，我继续说，“我外婆在所有的熏香束里都放熏衣草。我确信部分原因是她有一片熏衣草田。”

“酷！”斯蒂芬·雷说。

“是吧，那儿是个超好的地方。”我转头对她笑笑，但手里继续给达米恩熏香，“她用熏衣草的另外一部分原因就是熏衣草能恢复平衡，创造一个祥和的氛围，也可以吸引爱的能量和正面的精灵。”我拍拍达米恩的肩，让他转身，“你好了。”我沿着圈子走到代表火元素的肖妮面前，开始给她熏香。

“正面的精灵？”斯蒂芬·雷说，声音很嫩，带着惊慌，“我不知道咱们除了圈子的元素之外，还召唤其他东西。”

“拜托，求你了，斯蒂芬·雷！”肖妮在烟雾中皱起眉头，“你不能做了吸血鬼还怕鬼吧！”

“对啊，听着就不对劲儿。”艾琳说。

我回头瞥了一眼斯蒂芬·雷，大致交换了一个眼神，我们都想起了我可能遇到伊丽莎白的鬼魂那件事，但是我们俩都不愿意谈起。

“我还……不是……吸血鬼。我只是个新生，所以怕鬼也正常。”

“等等，佐伊说的是切罗基族的精灵吧？他们可能不会太注意一个切罗基族大祭司带着四个非美洲土著的吸血鬼新生做的仪式吧。”达米恩说。

我给肖妮熏香完，走到艾琳面前。“我觉得外在怎样没有关系。”我一说，立刻就觉得所说是正确的，“我觉得内心才重要。就好像阿芙洛狄忒和她那帮人表面上都是学校里最漂亮最聪明的孩子，而暗夜之女应该是个非常棒的团体。但我们还叫她们巫婆，她们本质上就是一帮喜欢欺负人、被宠坏的、没长大的孩子。不知道埃里克是怎么融入她们的。难道像他说的，真的无所谓？或者如阿芙洛狄忒暗示的，还有更深层的关系？"

"还有些被迫加入，只是盲从她们的孩子。"艾琳说。

"没错。"我心里向自己警示了一下，现在可不是想着埃里克做白日梦的时候。我给艾琳熏完香，走到斯蒂芬·雷面前。"我的意思是，我坚信我祖先的灵魂可以听到我们的话，正如我认为鼠尾草和熏衣草的精灵可以帮助我们一样。不过我觉得你完全不用怕，斯蒂芬·雷。我们又不是呼唤他们来帮我们打阿芙洛狄忒的。"我停下手中的熏香，又加了一句，"我虽然觉得这个姑娘确实需要好好打一顿屁股。而且我也觉得今晚不会有什么吓人的鬼魂出来游荡。"我坚定地说，然后把熏香递给斯蒂芬·雷，"好了，现在你帮我熏香。"她开始学起我的动作，而我放松地让熟悉的甜香将我笼罩。

"不是请求他们帮我们打她的？"肖妮的声音明显带着失望。

"不是，我们要净化自己，以请求尼克斯的指引。我不想打她一顿。"我想起把她甩开，又骂她的感觉有多好，"嗯，好吧，我可能很乐于这么干，但这样也解决不了暗夜之女的问题。"

斯蒂芬·雷给我熏完香，我接过熏香束，很小心地在地上踩灭。我又回到圈子中央，娜拉在代表精灵的蜡烛旁满足地蜷成一个橙色的小球。我环视了一圈我的朋友们，说："我们不喜欢阿芙洛狄忒是事实，但我认为重要的不是把焦点放在打她或把她赶出暗夜之女之列。她要处在咱们的位置上一定会这么做。我们要做正确的事，比起复仇，更重要的是正义。我们和她不同，要是我们能在暗夜之女中取而代之，这个团体也会变得不一样。"

"看，这就是为什么你会成为大祭司，而艾琳和我只能是你迷人的助手，因为我们两个很肤浅，只想打爆她的头。"肖妮一边说，艾琳一边点头。

"只许想正面的事，拜托！"达米恩尖锐地说，"我们正在进行净化仪式。"

肖妮才刚等着达米恩，斯蒂芬·雷就唧唧喳喳地说：“好！我就只想着正面的事情，比如要是佐伊当了暗夜之女的头儿会有多棒。”

“好主意，斯蒂芬·雷。”达米恩说，“我也这么想。”

“嘿！我也很高兴这么想。”艾琳说，“彼得·潘[①]和我同在，好姐妹。”她叫肖妮，肖妮也不再瞪达米恩了，她说：“你知道我一直喜欢高兴的想法。要是佐伊能负责暗夜之女，而且她的大祭司之路能成真，那就棒到家了。”

真正的大祭司……我大概想了一下这样是好是坏，而这几个词让我感觉有点想吐，又这样，唉！我点燃紫色的蜡烛。“准备好了吗？”我问他们四个。

“准备好了！”他们异口同声地回答。

“好，拿起你们的蜡烛。”

我毫不犹豫（就是说我也不想让自己有时间退缩）地拿着蜡烛到达米恩面前。我不像娜菲丽特经验丰富又光彩照人，也不像阿芙洛狄忒充满诱惑又自信满满。我就是我，就是佐伊——从一个基本寻常的高中生变成一个不寻常的吸血鬼新生，一个熟悉的陌生人。我深吸一口气，就像我外婆说过的，我能做的就是尽力而为。

“空气无所不在，所以才是圈子里首先要呼唤的元素。我求你听我的请求，空气，我召唤你到这个圈子里来。”我用手中的紫色蜡烛点燃达米恩的黄色蜡烛，火焰立刻剧烈地闪耀起来。一阵迷你旋风刮过我们身边，吹起头发，又轻柔地刮过皮肤，达米恩的眼睛睁大了，仿佛吓了一跳的表情。

“真的。”他看着我，低语道，“你真可以让元素显灵。”

“嗯。”我也有点头晕眼花，低声说，“至少一种可以了，我们再试试第二种。”

我走向肖妮。她热切地举起蜡烛的样子让我微笑了一下，她说：

①彼得·潘：童话中的人物，代表永远快乐。

"我已经准备好迎接火了——带它来吧！"

"火让我想起寒冷冬夜和外婆小屋里壁炉所带来的温暖和安全。我求你听我的请求，火，我召唤你到这个圈子里来。"我点燃红色的蜡烛，火焰燃起，比一般的蜡烛要明亮得多。肖妮和我周围的空气突然充满了浓郁的木香气和烧得旺旺的壁炉带来的温暖舒适。

"哇！"肖妮惊叹，黑眼睛里闪耀着蜡烛摇曳的光芒，"现在，太酷了！"

"两种了。"我听见达米恩说。

我走到艾琳面前，她冲我咧嘴一笑，急急地说："我已经准备好迎接水了。"

"在俄克拉何马炎热的夏日，水就是一种抚慰。我真的很想什么时候能见到令人惊叹的大海，而雨水令熏衣草成长。我求你听我的请求，水，我召唤你到这个圈子里来。"

我点燃蓝色的蜡烛，皮肤上立刻感觉到一种清凉，同时闻到了一种清新的咸味，那只可能是在我从没见过的大海上才能闻到。

"太棒了！真的，真的太棒了！"艾琳说，深深吸了一口海洋的气息。

"三种了。"达米恩说。

"我现在不怕了。"我站到斯蒂芬·雷面前时，她说。

"好。"我说完之后就专注于第四种元素——大地，"大地供养我们，承载我们。没有她，我们一无所有。我求你听我的请求，大地，我召唤你到这个圈子里来。"绿色的蜡烛很容易就点燃了，瞬间斯蒂芬·雷和我就被刚割过的青草气息包围了。我听到橡树叶子的沙沙声，我们抬头看时，发现大橡树故意压低了枝头覆盖我们，仿佛要为我们阻挡外界的伤害。

"太神奇了！"斯蒂芬·雷喃喃道。

"四种。"达米恩说，他的声音里充满兴奋。

我快步走到圈子中央，举起紫色的蜡烛。

“最后一种元素充斥了万事万物。它让我们变得唯一，它赋予万物生命。我请你听我的请求，精灵，我召唤你到这个圈子里来。”

不可置信的是，我好像立刻被四种元素围绕着，我在风与火、水与大地构成的旋涡中间。但并不可怕，一点都不。它们让我身心平静，而同时一阵狂热的能量汹涌而来，我紧闭嘴巴才没有因为狂喜而大笑出来。

“看！看这个圈子！”达米恩叫道。

我眨眨眼，让视线变得清晰，马上感觉到元素们平息下来，仿佛它们是顽皮的小猫，坐在我周围，正高兴地瞪着我叫他们玩线团什么的。我不禁对自己想出这样的比方而微微一笑。然后我看见一道白光沿着圈子环绕起来，把达米恩、肖妮、艾琳和斯蒂芬·雷逐一连起。这白光明亮又清澈，发出满月一般的银光。

“第五种元素也成功了。”达米恩说。

“我靠！”我脱口而出，真不敢想象大祭司的样子，他们四个都大笑起来，夜空中充满了欢乐。而我，头一次明白，为什么娜菲丽特和阿芙洛狄忒要在仪式上跳舞。我也快乐得想跳舞、想大笑、想大叫。再说吧。我告诉自己，今夜还有些严肃的工作要做。

“好了，我要开始念净化祈祷词了。”我告诉四个朋友，“我念祈祷词的时候，要面对每一种元素，一次一种。”

“你想要我们做什么？”斯蒂芬·雷问。

“注意祈祷词，全神贯注。相信元素们会将祈祷词带到尼克斯那里去，而女神会答应帮助我了解该怎么做。”我现在说得比感觉上更确信了。

我再一次面朝东方。达米恩微笑着鼓励我。我开始背诵古代的净化祈祷词，我和外婆以前说过很多次了——我刚刚决定要稍微改变一点。

伟大的夜之女神啊，你的声音在风中传播，你赋予子孙们生命。请满足我的请求吧，我需要你的力量和智慧。

我稍停片刻，转向南方。

让我行走于美的光彩中，让我以双眼可见落日融进你夜之美丽。让我以双手敬佩你所缔造的事物，以双耳聆听你的声音。给我以智慧，让我理解你传授给子民的事物。

我又向右转，沉浸在祈祷词的节奏中，声音变得更加有力。

请帮我保持冷静、强健以面对一切挑战。让我学会你隐藏于每一片树叶及每一块岩石中的见识。帮我寻觅纯粹的思想，以助人的目的行动。帮我找到同情，却不会沉溺于痛苦不能自拔。

我面对斯蒂芬·雷，她眼睛紧闭，似乎在全身心投入于思想中。

我寻求力量，不为比别人强大，但要与我的劲敌——对自身的怀疑而战。

我走回圈子中央，准备结束祈祷。我这辈子头一次感觉到古代话语中的力量冲刷着我的感官，随着我的全心全意的希望涌向倾听着的女神。

让我随时准备着，带着清洁的双手和无瑕的目光走向你。当生命退色与夕阳退去，我的灵魂可以无愧地回到你身边。

本来呢，这是外婆教我的切罗基祈祷词中的结语，但是我觉得有必要加上："尼克斯，我不明白你为何给我烙印，又为何给我感应元素的天赋。我甚至无须知道。我需要的只是请求你帮我明白什么是该做的事，并给我勇气去做。"我结束祈祷时用了娜菲丽特完成仪式时所说的"赞美神！"。

第二十四章　拥吻

“这真的是我参加过的最惊异的守护圈了！”仪式结束后，我们正在收拾蜡烛和熏香束，达米恩滔滔不绝地说着。

“我想‘惊异’的意思是‘宏大’吧。”肖妮说。

“也有兴奋、惊奇的意思，可以指了不起的、雄伟的。”达米恩说。

“这次我不和你争。”肖妮说，这让除艾琳之外的所有人都很惊奇。

“对啊，这个圈子是很惊异。”艾琳说。

“你们知道佐伊呼唤大地的时候我真的感觉到了吗？”斯蒂芬·雷说，“就像突然被一片生长中的麦田所包围。不，不只是包围，就像我突然成了麦田的一部分。”

“我完全明白你的意思。她呼唤火焰的时候就好像火在我体内爆炸。”肖妮说。

他们四个聊得开心的时候，我尽力体会自己的感受。我的确是很快乐，但情感充盈不知所措，而且还很迷惑。那都是真的，我确实对所有的五种元素都有一定的感应力。

为什么？

只是为了打倒阿芙洛狄忒？（虽然，顺便说，我对该怎么做还一点头绪都没有。）不对，我觉得不是。尼克斯给予我这么不寻常的力量就是为了我能把一个宠坏了的大姐大赶出团体？

好吧，暗夜之女可不是学生会之类这么简单，但也一样。

“佐伊，你还好吧？”

达米恩关切的声音让我的视线从娜拉身上移开，我这才意识到自己坐在刚才那个圈子的中间，猫坐在我膝头，我挠着它的头，完全沉浸在自己的思绪中。

“哦，还好，对不起，我很好，就是有点走神。”

“我们该回去了，挺晚了。”斯蒂芬·雷说。

“好的，你说得对。”我说完站起身，仍然抱着娜拉，但是我的腿却没办法跟着他们往宿舍走。

“佐伊？”

达米恩最先注意到我的犹豫，停下来回头叫我，其他朋友也停下来，用担忧和迷惑的表情看着我。

“呃，你们先走吧！我要在这里稍微再待一会儿。”

“我们可以陪你，而且……”达米恩刚要说什么，但斯蒂芬·雷（感谢她那颗纯真的心）打断了他。

“佐伊需要自己的空间想事情。如果是你们，刚刚发现自己是历史上唯一一个拥有五种元素感应力的新生，也会这样吧？”

“我估计是。”达米恩不情愿地说。

“不过别忘了很快就要天亮了。”艾琳说。

我对他们安慰地笑笑：“不会忘的，我马上就回宿舍。”

“我给你做三明治，再找出点薯片正好配你的非低糖可乐。大祭司在仪式之后吃点东西是很重要的。”斯蒂芬·雷说着笑笑挥挥手，拉着其他人走了。

我冲着斯蒂芬·雷喊了声“谢谢”，他们消失在夜色里。我走到树下坐下，背靠着粗壮的树干休息。我闭上眼，拍着娜拉。它的呼噜声还是很正常、很熟悉，不可思议地令人安心，似乎能帮我理清思路。

“我还是我。”我轻声对猫说，“就像外婆说的，所有的东西都可以改变，但真正的佐伊——十六年来的佐伊——还是佐伊。”

可能是我对自己重复了太多遍，我就会真的相信了。我一手支着脸，一手挠着猫，告诉自己我还是我……还是我……还是我……

“看她用手支着脸颊的样子！哦，要是我是她手上的手套，就能触到她的脸庞了！”[①]

我吓得跳了起来，娜拉“咪——咿——呜——喔”地抱怨着。

“似乎我总能在这棵树下找到你。”埃里克说，朝下冲着我笑，看着像一位神。

他让我心里七上八下的，但今晚还让我感觉到了别的。比如：他为什么总要“找到”我？这回他看我多久了？

“你在那儿做什么，埃里克？”

“嗨，很高兴再次见到你，还有，对，我想坐下来，谢谢。”他说着就要在我身边坐下。

我站起身，又弄得娜拉朝我抱怨。

“其实，我正要回宿舍。”

“嘿，我不是故意打扰你。我只是没办法专心做作业，就出来走走。我估计我的脚自己就带着我走到这儿来了，因为等我回过神的时候已经到这里了，而你也在。我真的没有跟踪你，我保证。”

他双手插兜，看上去非常尴尬。嗯，是非常可爱又非常尴尬。我想起今天早些时候他请我一起看白痴电影的时候，其实我是非常想答应的。而现在我又拒绝了他，又弄得他不自在。这孩子能和我说话已

①本句出自《罗密欧与朱丽叶》第二幕第二场。

经是奇迹了。很明显，我太把大祭司的事情当回事了。

“这样，那要不要再陪我回宿舍去？”我问。

“听着不错。”

这回我要抱娜拉的时候它抱怨了，小跑着跟在我们身后。和上次一样，埃里克和我又轻松地并肩走着。刚开始谁都没说话。我想问他关于阿芙洛狄忒的事，或至少告诉他阿芙洛狄忒和我说了他的事情，却不知道该怎么说才好，我可能跟他其实什么关系也没有。

“这回你又在这里做什么呢？”他问。

“想事情。”我说，这倒不是说谎。我是在想事情，想了很多，在仪式之前、之间和之后，但仪式自然不能提。

“哦，你在担心希斯那孩子吗？”

其实，自从和娜菲丽特谈过之后我就没再想希斯和凯拉了，但我还是耸耸肩，不想明确提起我在想什么。

“我是说，我估计只因为被烙印而要和某人分手，这事很难吧。”他说。

“我和他分手不是因为我被烙印。他和我在之前就基本上完了。烙印只不过是更彻底一点。”我看着埃里克，深吸了一口气，“那你和阿芙洛狄忒呢？”

他惊奇地眨眨眼：“你指什么？”

“我是说，今天她告诉我你永远不会是她的前男友，因为你一直都是她的。”

他眯起眼睛，看上去很生气：“阿芙洛狄忒说的话有严重的问题。”

“嗯，这不关我的事，但是……”

“这是你的事。”他急忙说道，而之后的话让我完全地、彻底地震惊了，他拉着我的手说，“至少我希望是你的事。”

“哦！”我说，“好吧，嗯，好吧！”这回我确定，我机智的对话技巧也震惊了他。

“这么说你今晚不是要避开我，而是真的有事情要想？”他慢慢地问。

“我不是避开你，只是……”我犹豫着，不知道该怎么和他说完全不能跟他解释的事情，“现在有很多事发生在我身上，整个转变的过程有时候确实很让人迷茫。”

“会变好的。”他说着，捏了捏我的手。

“不知怎么的，我很怀疑这点。”我咕哝着。

他大笑，用手指轻拍我的烙印：“你只是某些方面比我们其他人领先。一开始会很难，但是，相信我，会变得容易起来，即使是你。”

我叹了口气：“希望吧！”但是我怀疑。

我们在宿舍门前停下，他转向我，声音突然变得低沉又严肃：“Z，别相信阿芙洛狄忒的胡话，我们都分手几个月了。”

“但是你们曾经交往过。”我说。

他点头，脸看上去紧绷着。

“她不是个好人，埃里克。”

“我知道。”

然后，我意识到困扰我的是什么问题，决定，哦，嗯，见鬼，我就直说了吧：

“我不喜欢你和这么卑劣的人在一起。这让我觉得想要和你交往都很可笑。”他张嘴想说什么，但我继续说着，不想听到我不确定是不是该相信或能不能相信的借口，“谢谢你陪我回来，我很高兴你又找到我了。”

“我也很高兴找到你。”他说，“我想再见到你，Z，但不是偶然碰到。”

我犹豫了，但不知道自己为什么犹豫，我确实想再见到他。我需要忘掉阿芙洛狄忒。说正经的，她真的很漂亮，而他是个男人。他可能在知道怎么回事之前就又被她的巫术（和热辣）给抓回去了。我是说，她让我觉得像某种蜘蛛，我该庆幸她还没有把他的头咬掉，而是给了他一次机会。

“好吧，要不要我周六和你一起看白痴DVD？”我在自己反常地推掉和学校最帅的男生一起出去之前赶紧说。

“这是个约会。”他说。

埃里克慢慢倾身吻我，我要是愿意的话，绝对有时间可以躲开。他的嘴唇很温暖，味道也很好。这个吻轻柔而令人愉快。老实说，我还想让他吻我，但结束得太快了，但他没有离开，我们站得很近，而我意识到自己把双手放在他胸口，而他的手轻轻放在我的肩头，我冲他微笑了一下。

“很高兴你能再一次约我。”我说。

“很高兴你终于答应了。”他说。

他又吻我，只不过这次他没犹豫。这个吻加深了，我双臂环着他的肩。我不只是听到，更是感觉到他的呻吟。他吻了很久，也很用力，就像推开我内心深处的开关，火热、甜蜜、电流般的欲望穿过我的身体。疯狂而又迷人，这个吻比任何人的吻给我的感觉都要多。我爱我们相拥的方式，坚硬靠着柔软，我贴着他，忘记了阿芙洛狄忒、我刚刚设的守护圈，甚至整个世界。这次等我们分开的时候我们都已经气喘吁吁了，我们凝视着对方。慢慢地，我的感觉回来了，才意识到我完全挂在他身上，而我就站在宿舍门口，像个管不住的女人一样和他激情澎湃。我开始挣脱出他的怀抱。

“怎么了？怎么突然就变样了？”他说，双臂还是紧紧环绕着我。

“埃里克，我不是阿芙洛狄忒。”我用力挣扎，他放开了我。

“我知道你不是，要是你像她，我也不会喜欢你。”

“我不光指我的性格，我的意思是，站在这里和你亲热可不是我正常的行为。”

“好吧。”他向我伸出一只手，好像还要把我拉进怀里，但似乎变卦了，又垂了下去，“佐伊，你给我的感觉和任何其他人都不同。”

我感觉脸变烫了，不知道是因为生气还是尴尬：“别自以为是了，埃里克！我看见你和阿芙洛狄忒在走廊了，你很明显早就经历过了，而且很多。”

他摇头，我看见了他眼中受伤的表情：“阿芙洛狄忒让我感受到的只是身体上的，而你让我感受到的是触动心灵的。我知道这种不同，佐伊，而且我以为你也知道。”

我盯着他——那双似乎从第一次看见我就让我感动的美丽蓝眼睛。“对不起。”我柔声说，“我说得过分了，我确实知道这种不同。”

“保证你不会再在我面前提起阿芙洛狄忒！”

“我保证。”这吓到了我，但是我确实也想这么做。

“好。”

娜拉从夜色中显形，绕着我的腿抱怨。“我最好带它进去，让它睡觉。”

“好的。”他笑了笑，又给我快速的一吻，“周六见，Z。”

回房间的一路上我的嘴唇一直在发抖。

第二十五章　猝死

当我之后回想起来，第二天开始就正常得很奇怪。斯蒂芬·雷和我吃早饭时，还在低声八卦着埃里克的热辣，琢磨着周六的约会我穿什么好。我们甚至都没有看到阿芙洛狄忒和巫婆三人组："好战"、"可怕"和"黄蜂"。吸血鬼社会学的课也很有意思——我们已经从亚马逊人学到了一个叫科瑞亚的古希腊吸血鬼节日——让我忘记了今晚要去参加暗夜之女仪式的事，有那么一段时间我甚至不去担心要拿阿芙洛狄忒怎么办。戏剧课也很好。我决定要演《驯悍记》（自从我看过伊丽莎白·泰勒和理查德·伯顿主演的老电影，就爱上这部戏了）里凯特的独白。下课我离开教室时，娜菲丽特在走廊抓住我，问我阅读高级吸血鬼社会学书的进度。我只好告诉她我还没读多少（翻译：我还没开始读）。我匆匆赶去上文学课时，一直都在想着她对我那明显失望的表情。我在达米恩和斯蒂芬·雷中间的位子坐下，一切都好像很正常，一天就这么过去时，事情彻底崩塌了。

彭特西勒亚正在朗读《冰海沉船》第四章里的"你先走，我再待一会儿"。这本书真的很好，大家都和往常一样，听得很认真，接着傻孩子埃利奥特开始咳嗽。真是的，这孩子真是太讨厌了。

朗读过程中，在极其令人不快的咳嗽声中，我开始闻到一股味道，浓厚、甜美，好闻却又飘忽不定。我不自觉地深深吸了口气，仍然尽力专心在书上。

埃利奥特咳得越来越严重，我和其他同学一起，都瞪着他。我的意思是，拜托，他就不能喝点咳嗽药水或喝点水什么的？

而我看到血。

埃利奥特不像平时的懒洋洋的睡觉姿势，他坐得直直的，盯着手，而他手中已经满是鲜血。我看着他的时候他又咳嗽起来，发出有痰的那种恶心声音，让我想起了我被烙印的那天。只是埃利奥特咳嗽的时候，鲜红的血液从嘴里涌出。

“什……”他声音含混。

“去找娜菲丽特！”彭特西勒亚一边猛地拉开讲台抽屉，扯出一块叠得整齐的毛巾，一边命令着。她快速冲向埃利奥特那边。而坐得离门最近的孩子冲出教室。

我们都静悄悄地看着彭特西勒亚及时用毛巾接住了埃利奥特又一次咳出的血。他抓紧毛巾压在脸上，咳嗽、呕吐又窒息。当他终于抬起头来，血泪滑过他苍白的圆脸，而鼻血也像水从没关的水龙头流出一样流出。他转头看着彭特西勒亚时，我看见他耳中也血如溪流。

“不！”我从来没听过埃利奥特说话带这么强烈的情感，“不！我不想死！”

“嘘！”彭特西勒亚安慰他，把他橙色的头发从汗湿的脸上拨开，“马上就不痛了。”

“但是……但是，不，我……”他又开始抗拒，哀号的声音倒更像他平时，然后又被一阵猛咳打断了，他又开始窒息，血吐在已经浸透的毛巾上。

娜菲丽特进入教室，后面跟着两个高大强壮的男性吸血鬼。他们带着担架和毯子，娜菲丽特只拿着一小瓶乳白色的液体。

“那是他的导师。”斯蒂芬·雷用几乎听不到的声音说。我点头，想起彭特西勒亚曾经斥责埃利奥特让龙不高兴。

娜菲丽特把小瓶递给龙，随后她站在埃利奥特身后，双手放在他肩膀上，他的窒息和咳嗽马上就平静下来了。

“赶快喝掉，埃利奥特！”龙告诉他，看见他虚弱地摇头拒绝，龙又轻柔地说，“喝了就不痛苦了。”

“你……你会陪我吗？”埃利奥特喘息着。

“当然。”龙说，“我一步也不离开你。”

“你会给我妈妈打电话吗？”埃利奥特低声说。

“我会的。”

埃利奥特闭了会儿眼，然后用颤抖的手把小瓶举到唇边喝了。娜菲丽特向两个男吸血鬼点点头，他们就抬起他，平放在担架上，好像他是个玩偶，而非一个快死的孩子。龙站在他身边，匆匆走了出去。娜菲丽特在跟着他们走出去之前，转头看着教室里惊呆了的三年级生。

“我可以告诉你们埃利奥特会好的，他会康复，但这是撒谎。”她的声音很平静，但充满威严的力量，“事实是他的身体拒绝转变。几分钟之内他就会死，永远也不会变成成熟吸血鬼。我可以告诉你们别担心，这不会发生在你们身上，但这也是撒谎。你们之中平均有十分之一的人将无法完成转变。有些新生像埃利奥特一样，刚上三年级就会死，有些人会直到六年级都很强壮，但突然生病死去。我告诉你们这些不是要你们活在恐惧中，而是有两点原因。第一，我想让你们知道，作为大祭司，我不会对你们说谎，但在那个时刻来临的时候会帮你们安然走到另一个世界。第二，我希望你们像明天就可能会死一样活着，要被人记住，因为明天你们可能真的会死。即使你们真的死了，灵魂知道自己留下了荣耀的记忆，也可以安息了。要是你们没有死，那就会为你将来的长寿打下丰厚而健全的基础。”最后，她直视我的眼睛，说道，“我请求尼克斯的保佑今天来安慰你们，而你们要记得，死亡只是生命的自然过程，即使吸血鬼的生命也一样。终有一天我们都必须回到女神的怀抱。”她关上门出去了，关门的声音仿佛还在回应她的结论。

彭特西勒亚工作快速而有效。她冷静客观地清理了埃利奥特桌上沾染的血迹。当这个将死的孩子的所有痕迹都消失后，她回到教室前方，带领我们为埃利奥特默哀了一会儿。然后就捡起书，继续她刚刚中断的朗读。我尽力去听，尽力把埃利奥特七窍流血的景象屏蔽掉。我还尽力不要去想我之前注意到的好闻气味，正是他将死之躯流出的血液。

一个新生死了，我知道一切还应该照常，但两个孩子死去时间这么接近就明显不正常了，所有人这一天里都安静得很不自然。午餐时间很沉默、压抑，我注意到大多数人都只是盛了食物，却并没有吃。双胞胎甚至没有和达米恩吵嘴，要不是因为发生了那么恐怖的事，我还会觉得是个好变化。斯蒂芬·雷随便找了几个借口早早离开餐厅，在第五节课之前回房间去，我也乐于和她一起回去。

浓黑阴沉的夜晚，我们走在人行道上。今晚的煤气灯并不让人觉得光明而温暖，反而冰冷晦暗。

“没人喜欢埃利奥特，但不知怎么，我觉得这样反而更糟。”斯蒂芬·雷说，“反而伊丽莎白的事容易接受一点，至少我们可以对她的离开表示真正的伤心。”

“我知道你的意思。我也很难过，但我真正难过的不是这孩子的死，而是看见了可能发生在我们身上的事，我忘不了。”

“至少很快就结束了。”她轻柔地说。

我哆嗦了一下：“不知道会不会很痛苦。”

“他们会给你那种——就是埃利奥特喝的白色的东西。是止痛的，但会让你到死前都一直清醒。而且整个过程娜菲丽特总会帮忙。”

“很吓人，是吧？”我问。

“是啊。”

我们一时之间都没有说话。一会儿月亮从云中慢慢钻出，给树叶披上了一层诡异的银色，突然让我想起了阿芙洛狄忒和她的仪式。

“阿芙洛狄忒有没有可能取消今晚上冬节的仪式？”

“没门儿。暗夜之女的仪式从来没取消过。”

“嗯，见鬼。”我说，然后瞥了一眼斯蒂芬·雷，“他是他们的‘冰箱’。”

她吃惊地看着我：“埃利奥特？”

“是啊，真的很恶劣，他就好像吸了毒，怪怪的。肯定是从那时候就开始排斥转变了。”随后是一阵很不舒服的沉默，我又加了一句，“我之前不想告诉你，特别是你告诉我关于……嗯……你知道的。你确定阿芙洛狄忒不会取消？我是说，那伊丽莎白，现在又是埃利奥特，该怎么办？”

“没关系，暗夜之女不会在乎给他们当‘冰箱’的人，他们只会再找其他人。”她犹豫了一下，“佐伊，我一直在想，你今晚也许不该去。我昨天听见她对你说了，她会让所有人都不接受你，她真的很坏。”

“我不会有事的，斯蒂芬·雷。”

“不要，我有不好的预感，你还没有计划呢，对不对？”

“嗯，还没有，我还在侦察阶段。”我尽量让对话变得轻松一点。

“以后再侦察吧，今天已经够糟了，每个人都很难过，我觉得你该等等。”

“我不能就这么不去了，特别是昨天阿芙洛狄忒和我说过之后。她会以为和我那么说现在就可以恐吓我。”

斯蒂芬·雷深吸一口气：“嗯，那样我觉得你应该带着我去。”我开始摇头，但她还是继续说下去：“你现在是暗夜之女了。基本上来说，你是可以邀请别人去参加仪式的。所以邀请我吧，我可以去帮你防守。”

我想到了饮血，我对血的喜好明显到连“好战”、“可怕”都能看得出来。我尽力不去想血的味道，但失败了——从希斯到埃里克甚至埃利奥特。斯蒂芬·雷说不定哪天就会发现血对我有多大的影响，但今晚不行。事实上，要是我能忍住，时间倒是没什么关系了。我不想冒失去她或双胞胎或达米恩的危险——我真怕会失去他们。对，他们知道我很“特殊”，而他们接受我是因为我的特别，可能会成为大祭司，这很好。但我的嗜血就不太好了，他们真能很容易地接受吗？

“不可以，斯蒂芬·雷。”

“但是，佐伊，你不该一个人到巫婆的老巢里去。”

“我不是一个人，埃里克也在。”

“对，但他曾经是阿芙洛狄忒的男朋友，要是她真的恨你，谁知道他能不能站出来反对她。”

“亲爱的，我会为自己斗争的。”

“我知道，但是……”她停下来，用好笑的表情看着我，“Z，你在发抖？”

“哈？我什么？”随后我也听见了，大笑出来，“是我的手机，昨晚充好电之后就塞进包里了。”我从包里抽出手机，瞥了眼上面的时间，“过十二点，谁会……”我翻开手机，吃惊地看到有十五条短信和五个未接来电，“天哪，有人一直在打，但我完全没注意到。”我先查看短信，然后就觉得胃开始疼了。

佐给我回电！

我一直爱你！

佐请给我回电！

要见你！

你和我！

你会打给我吧?

我想和你说话!

佐!

回电!

……

我不需要都看完，基本上都差不多。“啊，见鬼，都是希斯来的。”

“你前男友?”

我叹了口气：“是啊!”

“他要干吗?”

“显然想我。”我不情愿地按了我的语音信箱。让我惊讶的是，希斯可爱、笨拙的声音听起来又响亮又热烈。

“佐!给我打电话。那个，我知道很晚了，但是……等等，对你来说不晚，但对我来说很晚了。但没关系，我不在意。我就是想让你给我打电话，好吧，就这样，打给我。”

我呻吟着删掉了这条语音信息，下一条更疯狂。

“佐伊!好吧，你需要给我打电话。真的，别生气，嘿，我根本不喜欢凯拉，她很差劲儿。我一直爱你，佐，只爱你。所以给我打电话，什么时间无所谓，我马上醒过来。”

“天哪，哦，天哪!”斯蒂芬·雷很容易就能听到希斯的声音，她说，“这孩子真烦人，难怪你会甩了他。”

“是啊。”我嘟囔着，快速删掉了第二条语音信息，第三条和前两条差不多，只是更拼命。我把声音调小，不耐烦地在跺脚，也没怎么听其他条，就一条一条删掉了。“我要去见娜菲丽特。”与其说是给斯蒂芬·雷听，不如说是给我自己听的。

“为什么?你需要把他屏蔽掉吗?”

“不用，啊，用，差不多吧。我只是想问问她，嗯，我该怎么做。”我躲开斯蒂芬·雷好奇的视线，“我是说，他已经来过一次了，我不想他又来惹麻烦。”

“哦，对，这倒是。要是他碰到埃里克就坏了。”

“那就太糟了。好吧，我最好赶紧在第五节课之前去找娜菲丽特。咱们下课后见。”

我没等斯蒂芬·雷跟我说“再见”，就冲向了娜菲丽特办公室的方向。今天还会更惨吗？埃利奥特要死了，我还被他的血吸引。今晚还要和一群恨我还千方百计要我记得的孩子一起参加冬节仪式。而且我可能已经把我的前准男友给印记了。

对，今天真的糟透了。

第二十六章　超视

要不是斯盖拉的嘶吼声引起我的注意，我还真没看到阿芙洛狄忒跌坐在娜菲丽特办公室外不远处走廊的凹处。

“怎么了，斯盖拉？”我想起娜菲丽特说她的猫很会咬人，所以小心翼翼地伸出手。我真心高兴娜拉没有像往常那样跟着我——斯盖拉恐怕会把我可怜的小猫当做午餐。“咪咪——咪咪！”橙色大猫看着我考虑了考虑（大概在想要不要咬掉我的手）。然后它决定了，放下身段，向我小跑过来。它在我腿上蹭着，冲着走廊的凹处尖叫了一声，然后转身消失在往娜菲丽特房间方向的走廊上。

“到底出什么问题了？”我犹豫着往凹处看，不知道什么才能让斯盖拉这么凶恶的猫警惕地嘶吼，我一看就震惊了。她坐在地上，在摆放着一尊尼克斯精致塑像的壁架的阴影下，很难看到。她头向后仰，翻着白眼。她的样子真把我吓着了。我感觉浑身僵硬，以为她脸上随时会流下血来。她呻吟着，念叨着什么我不明白的话。她眼珠在眼皮下来回转动，仿佛在看着这一幕。我意识到发生了什么，她正在超视。她可能感觉到了，于是躲在凹处，这样就没人发现她，她就能把死亡与和灾难的信息瞒着了。母牛。巫婆。

好吧，我才不会让她这么如意呢。我弯下腰，架起她的胳膊，把她拉起来。（我告诉你，她可是比外表看起来重多了。）

“来吧。”我呻吟着，半扛着她，而她在闭着眼睛斜靠着我。“咱们沿着走廊走走，看看你到底想把什么样的悲剧瞒起来。”

幸好，娜菲丽特的办公室不远。我们踉跄着走进去，娜菲丽特从桌边跳起来冲向我们。

“佐伊！阿芙洛狄忒！怎么了？”但等她仔细查看过阿芙洛狄忒之后，警醒就变成了理解后的平静，“帮我把她放在椅子上，这样她能舒服一点。”

我们把阿芙洛狄忒放在娜菲丽特的大皮椅上，她倒在上面。然后娜菲丽特蹲在她旁边，拿起她的手。

“阿芙洛狄忒，以女神的声音，我恳请你告诉她的祭司你的所见。”娜菲丽特的声音虽然轻柔，但强而有力，我能感觉到她这个命令中的力量。

阿芙洛狄忒的眼皮立刻跳动起来，她深吸一口气，突然睁开眼，瞪大的双眼目光呆滞。

“好多血！他身体出了好多血！”

“谁，阿芙洛狄忒？集中精神，专心看清景象！”娜菲丽特命令道。

阿芙洛狄忒再深吸一口气：“他们死了！不，不，不可能！不对。不，没道理！我不明白……我不……”她又眨起眼睛，似乎能看清东西了，她环视四周，好像没认出是哪里。她看到我。“你……”她虚弱地说，“你知道。”

“是啊。”我说，心想我当然知道你打算隐瞒预见，但我却说，“我在走廊里发现你，而且……”娜菲丽特抬起手打断我。

“别，她还没结束。她不应该这么快清醒。景象还太模糊了。”娜菲丽特快速跟我说，然后又压低声音，再次呈现强力命令的语气，

“阿芙洛狄忒，回去！看看你想要看清的情景和你想要改变的情景。”

*哈！抓住你了。*我不禁有点沾沾自喜。毕竟，她昨天还想把我的眼睛挖出来。

“死人……”阿芙洛狄忒的话越来越难理解了，她嘟囔着像是什么“管道……他们杀了……那里有东西……我不能……我不行……”。她发疯似的，我都快要替她难过了。很明显，她所见的场景把她吓坏了。随后她的眼睛找到了娜菲丽特，眼里闪过熟悉的亮光。我开始放松下来。她回过神来，整件诡异的事情该结束了。我刚才这么一想，阿芙洛狄忒的眼睛好像锁定了娜菲丽特，瞪大得不可思议。她脸上全是恐怖的表情，脸色死白，尖叫出来。

娜菲丽特把双手压在阿芙洛狄忒颤抖的双肩：“醒醒！”她回头瞥了我一眼，说：“走吧，佐伊。她的超视很混乱。埃利奥特的死干扰她了。我需要再让她试一次。”

不用她再说一遍，我走出办公室，转去西班牙语教室。希斯的执念则全被我忘了。

我完全无法专心学习。脑中不断地回想着娜菲丽特和阿芙洛狄忒诡异的场面。她明显看到了有人要死，但从娜菲丽特的反应来说又不像是正常的超视（如果有这种东西的话）。斯蒂芬·雷说阿芙洛狄忒的视觉很清晰，能指出正确的机场，甚至是要坠毁的那架飞机。但今天，一切很突然，完全不清晰。好吧，除了看见我还说了些怪话，还对着娜菲丽特狂叫之外，都没有任何意义。我几乎有点盼望看她今晚如何表现了，只是几乎。

我放下珀耳塞福涅的马刷，抱起娜拉，它之前一直蹲在马食槽顶上看着我，冲我“咪——咿——呜——哦”地怪叫。我抱着它慢慢走回宿舍。这回阿芙洛狄忒没找我麻烦，不过我在大橡树旁的拐角碰到斯蒂芬·雷、达米恩和双胞胎聚成一团唧唧喳喳，看见我的时候突然就都住嘴了。他们都抱歉地看着我，很容易就猜到他们在说谁呢。

“怎么了？”我问。

“我们只是在等你。”斯蒂芬·雷说，往常的活泼不见了。

“你怎么了？”我问。

“她担心你。”肖妮说。

“我们担心你。”艾琳说。

“你前男友怎么样了？”达米恩问。

“他着魔了，就这样。不过要是他不着魔，也不会是我前男友了。”我尽量波澜不惊地说，不看他们四个的眼睛很长时间。（我从来不太会撒谎。）

“我们觉得今晚我该和你一起去。”斯蒂芬·雷说。

“事实是，我们觉得我们该和你一起去。”达米恩纠正说。

我皱起眉。今晚我不可能让他们四个看我喝混着可怜孩子血的酒。

“不行。”

“佐伊，今天真的很不好。每个人都很紧张。另外，阿芙洛狄忒要刁难你。我们今晚都聚在一起，也没错呀。”达米恩很有道理地分析。

对，是很有道理，但是他们不知道整件事。我不想让他们了解所有的事，还不行。我太在乎他们。他们让我有归属感和安全感——他们让我感觉融入了这里。我现在不能冒失去他们的危险，尤其在这个一切对我都还太新、太恐怖的时候。所以我用了以前我在家受了惊吓、难过或不知所措时候学来的招——我生气地拒绝他们。

“你们不是说我有能成为大祭司的力量吗？”他们热切地点头，冲我微笑，让我觉得揪心。我咬紧牙，装出冷酷的声音说：“那我说不行的时候你们要听我的。我今晚不要你们去。我有点事必须自己处理，单独一个。再有，我不想和你们讨论这件事了。”

然后我就跺着脚离开了他们。

很自然，我不到半个小时就后悔对他们这么糟了。我在大橡树底下走来走去，惹烦了娜拉。这地方都快成我的庇护所了。希望斯蒂芬·雷能出现，这样我就能向她道歉了。我的朋友不知道我为什么不让他们去。他们只是关心我。没准儿……没准儿他们能理解关于血的事情吧。埃里克好像理解。好吧，当然，他是五年级生了，不过还是一样。我们都应该要经历这个过程，我们都会开始喝血，不然就会死。我觉得好过了一点，就挠挠娜拉的头。

“比起死亡，选择喝血似乎也没那么糟，是吧？”

它打着呼噜，我就当它说是了。我看了下表，糟了，我得回宿舍，换衣服，去见暗夜之女了。我无精打采地沿着墙往回走。今晚阴天，不过我对黑暗倒是不介意。事实上，我开始喜欢晚上了，我也应该喜欢。要是我能活着，黑夜将变成我的元素，很久很久。娜拉好像能看穿我的变态想法，它小跑着跟在我身边，生气地“咪——咿——呜——哦”地叫着。

“是呀，我知道，我不该这么消极，我会努力的，等……”

娜拉的低吼让我吃了一惊。它停下脚步，弓起背，竖起毛，看着像个肉毛球，但是它眯起的眼睛可不像开玩笑，凶猛的嘶吼声像蛇一般地从它嘴里发出。“娜拉，怎么……”

我还没转身看猫盯着的方向，一阵寒意就划过后背。后来想想，我都不知道为什么没有叫出声来。我记得自己张大嘴喘息着，但完全发不出声。整个人好像麻木了，但又不可能，要是麻木了，我也不会感觉自己像完全石化了一般。

埃利奥特站在离我不到十英尺的墙边阴影里。我和娜拉走着的时候，他肯定是和我们同一方向的，他听见娜拉的声音，半转身过来对着我们。娜拉又对着他嘶吼，他用快到吓人的速度旋转到前面正对着我们。

我发誓我无法呼吸。他是个鬼，肯定是，但看起来非常具体，非常真实。要不是我亲眼看见他的身体拒绝转变，我会觉得他只是看起来特别苍白，而且怪怪的而已。他白得不正常，但怪异的还不止这个，他眼睛也变了，能反射微光，而且发出可怕的铁锈红色，像干了的血。

就和伊丽莎白的鬼魂眼睛发的光一样。

还有其他的地方不一样。他的身体看起来很奇怪——变瘦了。这怎么可能？然后我又闻到了一股味道，陈旧、干燥而不合时宜，像很多年没打开过的壁橱或吓人的地下室。我注意到和之前见到伊丽莎白时是一样的味道。

娜拉吼着，埃利奥特低下身，奇怪地半蹲着，也向它嘶吼。随后他露出牙齿，我看见他有獠牙！他朝娜拉迈出一步，像要攻击它，我来不及多想，只是不自觉反应道：

“别靠近它，滚开！”我惊讶地发现自己的声音也不比冲一只疯狗叫更厉害，因为我肯定已经被吓得屁滚尿流了。

他的头转向我，发红光的眼睛头一次看着我。不对！我内心里熟悉的直觉声音开始尖叫。讨厌死了！

“你……”他的声音很恐怖，粗糙刺耳，仿佛被什么东西弄坏了嗓子，“我要吃了你！”然后他开始朝我过来。

毫不掩饰的恐惧像刺骨寒风把我吞没。

娜拉向埃利奥特的鬼魂猛扑过去，它战斗般的啸声划破夜空。我震惊地看着，以为它会嘶吼着穿过空中。但它落在埃利奥特的大腿上，爪子大张着，抓挠嚎叫，像一只比它大三倍的动物。他尖叫着，抓住猫的后脖子，把它扔开。随后又用不可思议的速度和力量一跃跳到墙头，消失在学校周围的夜色里。

我剧烈地颤抖着，跌跌撞撞。“娜拉！”我哽咽着，“你在哪儿，小姑娘？”

它浑身毛竖成一团，吼叫着，轻轻向我走来，但是眯起的眼睛还是盯着墙。我蹲在它身边，抖着手检查它是不是还完好无缺。感觉它没有受伤，我才把它抱起来，尽可能快地小跑，离开这面墙。

“没事了，我们都没事了，他走了。你可真是个勇敢的姑娘！”我不断对它说话，它半趴在我肩膀上，以便于能看到后面，还不停地吼着。

我赶到离娱乐厅不远的第一座煤气灯下，停下来给娜拉换了个位置，让我能更仔细地看看它是不是真的没事。结果看得我胃纠结得厉害，差点以为要吐。它爪子上都是血，但不是娜拉自己的，这血迹不像其他人的血一样散发着好闻的味道，而是一种老旧地下室里发霉的味道。在用冬草给它擦爪子的时候我强迫自己不要干呕。然后再抱起它快步沿着人行道回宿舍去。娜拉一直在向后看，也一直在吼着。

斯蒂芬·雷、双胞胎和达米恩明显都不在宿舍，没在看电视——他们不在电脑室和图书馆，也不在厨房。我急忙爬上楼梯，拼命希望至少斯蒂芬·雷会在房间里，却没那么走运。

我坐在床上，拍着一直都焦躁不安的娜拉。我应该去找找他们，还是应该待在这里？斯蒂芬·雷总会回到房间的。我看了看她那个猫王扭着跳舞的钟，我还有十分钟换衣服，到娱乐厅去。但刚刚发生过这种事后，我怎么去参加仪式？

刚刚发生了什么？

一个鬼要袭击我。不，不对，鬼怎么可能流血？但那是血吗？闻起来又不像。我不知道是怎么一回事。

我应该直接去找娜菲丽特，告诉她发生了什么。我应该现在就动身，带上我受惊的猫到娜菲丽特那儿去，告诉她我昨晚看到了伊丽莎白的鬼魂，今夜又见到了埃利奥特的。我应该……我应该……

不行。这回并非心中有尖叫声，是一种确定的力量。我不能告诉娜菲丽特，至少现在不行。

“我必须参加仪式。”我把脑中环绕的话大声说出来，“我必须在仪式上出现。”

我穿上那件黑色的衣服，在柜子里寻找我的芭蕾平底鞋，我感觉自己变得非常冷静。这里的事情并不像我原来的世界——原来的生活——那样按常理出牌，现在是时候去接受并开始适应了。

我有五种元素的感应力，这意味着我被古代的女神赐予了无比强大的力量。而外婆提醒过我，强大的力量伴随着强大的责任。或许我被允许看到这些东西——比如行为、外表和气味都不像鬼的鬼——因为某种原因。我还不知道这些有什么意义。事实上，我脑中现在只有两种想法最为清晰：我不能告诉娜菲丽特，还有我必须去参加仪式。

我匆匆赶往娱乐厅，尽力往好处想。或许阿芙洛狄忒今晚不会出现，或者忘了刁难我。

事实证明，我的运气果然不好，这两个都不对。

第二十七章　召唤

“裙子不错，佐伊。就是看上去和我的很像。哦，等等！原来就是我的。”阿芙洛狄忒笑得很大声，一副“我长大了，你还是个小丫头”的笑。我非常讨厌女孩这么笑。我是说，对，她是老了，而且我也有胸部。

我微笑着，故意加入一种毫无头绪的无辜，我撒了个超大的谎。考虑到我不善于撒谎，而且刚被鬼魂袭击，现在又被所有人盯着，我完成得还是很不错的。

“嗨，阿芙洛狄忒！天，我刚刚在读娜菲丽特给我的高级社会学书，读到暗夜之女的领导让每一位新成员都感觉到受欢迎和被接纳是多么重要。你一定为你工作做得超棒而骄傲吧！”我靠近她一步，压低声音，只让她听见，“我还得说你比上次我看见你时好多了。”我看见她脸色苍白，确定她眼中闪过一丝恐惧。很奇怪的是，这并没有让我感觉到胜利而得意，只让我觉得刻薄、肤浅又很累。我叹了口气：“对不起，我不该这么说。”

她脸变得僵硬：“滚，怪物！”她嘶吼着，然后又大笑，好像刚开了个大玩笑（对我来说），她转过身，气狠狠地甩了下头发，走到娱乐厅中间去了。

好吧，我不再不爽了，讨厌的母牛。她举起一只细长的胳膊，所有呆呆看着我的人都把注意力转向她了（谢天谢地）。今晚她穿了一条古典的红色丝绸长裙，很合身，像是画上去的。我很想知道她到哪里弄到的衣服，哥特荡妇店？

“昨天死了一个新生，今天又是一个。”

她声音有力又清晰，听着简直有点同情在里头，这倒让我惊讶。有那么一瞬间她确实让我想起了娜菲丽特，不知道她是不是要说点有领导风范的深刻见解。

“这两个我们都认识，伊丽莎白很好很安静，埃利奥特给我们的仪式当过好几次‘冰箱’。”她突然微笑了一下，凶残恶毒的笑，原本可能和娜菲丽特的一点相似消失了，“但他们都很弱，而吸血鬼的阵营里不需要弱者。”她耸了耸覆盖着鲜红色的肩膀，“如果我们是人类，我们会说‘适者生存’。感谢女神我们不是人类，所以我们就叫做‘命运’吧，很高兴命运今晚没有赶走我们中的任何一个。”

听到众人应和的声音，我都恶心死了。我和伊丽莎白不熟，但是她对我很好。好吧，我承认不喜欢埃利奥特——没人喜欢他。这孩子讨厌，完全没有吸引力（他的鬼魂什么的也还带着这些特征），但对他的死我并不高兴。要是我成为暗夜之女的领导，我不会拿一个新生的死来取笑，不管他有多么微不足道。我向自己保证，但也有意识地把这个承诺当做祈祷发送出去。我希望尼克斯能听到，也希望她能许可。

“但忧郁和不幸已经够多了。”阿芙洛狄忒说，“今天是冬节！今夜我们要庆祝丰收季节的结束，但更是怀念祖先——所有在我们之前生活但已死去的伟大吸血鬼——的时刻。”她的语调令人毛骨悚然，好像自编自导演得太入戏了。我翻着白眼听她说下去。“今夜生与死之间的面纱最薄，精灵很可能会走入大地。”她停顿了一下，环视一下听众，很小心地无视我（和其他人一样）。一时间我很想知道她说这话的意思。埃利奥特的事，会不会和生与死之间的最薄的界限，还有他在冬节这天死有关？我没时间多想了，因为阿芙洛狄忒提高嗓门喊道："所以我们现在要做什么？"

"出去！"暗夜之女的子女们喊着回答。

阿芙洛狄忒性感得过分了，我发誓她在抚摸自己，就当着众人的面，天哪，真恶心！

"对，今天我已经为咱们选了一个很棒的地点，甚至几个女孩还带着一个小'冰箱'在等着我们。"

呃，"几个女孩"肯定是说"好战"、"可怕"和"黄蜂"吧？我快速扫视了一下房间里，果然没看见她们，很好。我只想着这三个加上阿芙洛狄忒认为的"很棒"能怎么样。我甚至不敢去想那个被他们当做新"冰箱"的可怜孩子是怎么被骗来当"冰箱"的。

还有，对，当阿芙洛狄忒提到有个"冰箱"在等着我们，意思是说我又有机会喝血的时候，我真不想承认自己垂涎欲滴。

"现在我们就去，记住，要安静。专心于隐形，这样偶尔有没睡的人类也看不到我们。"然后她正视我，"愿尼克斯宽恕出卖我们的孩子，因为我们肯定不会宽恕。"她又轻柔地向所有人一笑，"跟我来，暗夜之女的子女们！"

一群人三三两两地跟着阿芙洛狄忒从娱乐厅后门安静地出去。他们很自然地无视我。我差点就没跟着他们，我真的不想去。我是说，今晚我已经兴奋过度了，我应该回宿舍去向斯蒂芬·雷道歉。然后我们就去找双胞胎和达米恩，告诉他们埃利奥特的事（我停顿了一下看看我的直觉有没有反对我告诉朋友，但一切都很安静）。好吧，就这样，我要告诉他们。总比跟着恶毒的阿芙洛狄忒和一群谁都不站在我一边的孩子强。但刚刚我想着告诉朋友时安静的直觉突然又狂响起来，我必须得去参加仪式，我叹了口气。

"来吧，Z，你也不想错过好戏吧，是不是？"

埃里克站在后门那里，一双像超人一样的蓝眼睛冲着我笑。

嗯，见鬼！

“你开玩笑吧？一群讨厌的女孩，整天埋在小团体里演戏，可能还有尴尬和流血。怎么可能不爱看？我一分钟也不想错过。”埃里克和我跟着其他人走到门外。

每个人都安静地走到娱乐厅后门的墙边，靠近我看见伊丽莎白和埃利奥特的地方让我很不舒服。然后，奇怪的是，所有的孩子似乎都像是在墙里面了。

“怎么会……”我低声说。

“只不过是个戏法。你会明白的。”

我明白了，那里其实有道暗门。像在有些有关谋杀的老电影里，就在图书馆的墙上或是壁炉内（有一部《魔法奇兵》的电影里就是这样——对，我是个笨蛋）。暗门在看上去结结实实的学校围墙上，打开了一部分，留出了只容一个人（或一个新生或吸血鬼或没准儿一两个奇怪的有实体的鬼）通过的空间。埃里克和我是最后通过的。我听见一声轻轻的嗖嗖声。回头就看见墙又严丝合缝地关上了。

“那上面有个自动的键，和汽车门一样。”埃里克低声说。

“哦，有谁知道这个？”

“凡曾经是暗夜子女的人都知道。”

“哦。”我怀疑可能大多数的成年吸血鬼都知道。我瞥了一眼周围，没看见有人看着我们或跟踪我们。

埃里克注意到了我的视线：“他们不会在意的。我们溜出去参加某些仪式，这是学校的传统了。只要我们不做傻事，他们也就睁只眼闭只眼。”他耸耸肩，“我估计一直都没什么问题。”

“嘘！”前面有人要我们安静。我闭上嘴，决定专心看路。

现在大约是凌晨四点半。呃，没人醒着，这让我很惊奇。走过塔尔萨最酷的地段——这个社区全是靠石油发家的人家大宅——居然没人注意到我们。我们穿过令人惊奇的景观庭院，竟然没有狗对我们叫。仿佛我们只不过是影子或是鬼魂……这个想法让我毛骨悚然。早先被云遮住的月亮现在在晴朗得出奇的天空里闪耀着银白色的光芒。我发誓就算在被烙印之前，我也能在这种光下读书。天很冷，但已经不像一个星期前让我困扰了。我尽力不去想我体内的转变到底怎么了。

我们穿过街道，又悄无声息地穿过两个庭院。我听见流水的声音，随后就看见一座小步行桥。月光照在溪流上，仿佛在水面倾满了水银。我被这种美丽所吸引，不自觉放慢了脚步，提醒自己夜晚就是我的白天。我希望自己永远也不要适应夜晚的壮丽。

"过来，Z！"埃里克在桥那边低声说。

我抬头看着他，他的影子倒映在他身后矗立在小丘上的超豪宅上，旁边是一片巨大的阶梯草坪，上有水池、露台、喷泉和瀑布（这里的人显然是钱多了烧的），他让我想起了历史上浪漫的英雄，像……我能想到的英雄也就是超人和佐罗了，而他们都不是历史上的真人。但他看起来确实像个骑士，很浪漫。我突然想到这栋我们打算闯进去的豪宅到底是什么地方了，我赶紧过桥向埃里克跑去。

"埃里克。"我焦躁地低声说，"这是菲力布鲁克博物馆！我们在这里乱搞要是被抓到，我们会有麻烦的。"

"他们抓不到我们。"

我只好匆匆赶上他。他走得太快了，比我更想赶上前面那群静如鬼魂的队伍。

"好吧，这可不是什么有钱人的家，这是个博物馆。二十四小时有保安守着。"

"阿芙洛狄忒已经用药迷倒了他们。"

"什么！"

"嘘，不会对他们有害的。他们只不过会睡一会儿，回家之后不会记得任何事，没什么的。"

我没有回答，但是我真不喜欢他对给保安下药那么无所谓的态度。就算我能理解需要这么做，我也觉得不对。我们是非法闯入。我们不想被抓，所以保安就得被下药，我明白了，但就是不喜欢这么做。看起来暗夜之女需要改革的另一件事就是他们这种高人一等的态度。他们让我觉得越来越像信徒了。这可不是什么好的比较。阿芙洛狄忒不是神（或该叫女神，不管怎么说吧），尽管她自认为如此。

埃里克停下来。我们走上台阶，加入人群，通往博物馆的缓坡上有座圆顶的亭子，人群绕着亭子松松围成了一个圈子。不远处有个观赏鱼池，一头正好通向博物馆门前的阶梯。这个地方美得惊人。我从前野外实习的时候来过两三次，其中一次是美术课。像我这样明显不会画画的人都被感染得想要把这个花园画下来。现在的夜色将这个被精心照料的美丽花园和大理石流水景观变成了魔法般的精灵王国，沐浴在月光下，笼罩在银灰色的阴影和午夜幽蓝中。

亭子本身也很迷人。底座是巨大的圆形台阶，像个王座，让你必须登上去。亭子由白色雕花圆柱撑起，圆顶由底下的灯光照亮，有点像古希腊的建筑，又重现往日光辉，为了让夜间能看到而被点亮。

阿芙洛狄忒登上台阶，在亭子中间就位。她仿佛立刻就从周围吸收了魔法和美丽。自然“好战”、“可怕”和“黄蜂”也在那里。还有一个我认不出的女孩和她们在一起。当然我可能见过她无数回，就是不记得——她不过又是一个长着芭比娃娃一样金发的女孩（虽然她的名字可能也是邪恶或可恨之类的意思）。她们在亭子中间摆了张小桌子，铺着黑布。我看见上面有很多蜡烛，还有高脚杯、刀之类的东西。有个可怜的孩子把头瘫在桌子上，一件斗篷盖住他的身体，看着就和埃利奥特被当做“冰箱”那次一样。

从一个孩子身上取那么多血供阿芙洛狄忒仪式上用肯定会榨干他的。我想知道是不是和埃利奥特的死有关。我一想到高脚杯里盛着混着这孩子的血的葡萄酒，我就努力克制自己，但自己又止不住地流口水。怎么能有东西一边让我特别恶心，一边又让我特别想要呢，太奇怪了。

"我要设立守护圈，呼唤我们先人的灵魂与我们共舞。"阿芙洛狄忒说。她声音轻柔，但话语却像毒雾弥漫在我们周围。想到有鬼魂要被召唤到阿芙洛狄忒的圈子里来，特别是在我最近与鬼魂接触之后，感觉真是阴森恐怖。不过我得承认在吓到我的同时也引起了我的好奇。可能我那么确定自己一定要来这里，就是因为我能得到些有关伊丽莎白和埃利奥特的线索吧。另外，这种仪式很明显暗夜之女已经做了很久了，不可能有多吓人或多危险。阿芙洛狄忒表现得很高大、很酷，但我感觉那就是在表演。在大姐大的面具下，她既没有安全感，又不成熟。另外，欺负人的人会避开比他们更强的人，所以阿芙洛狄忒要召唤的灵魂也应该是无害甚至不错的才说得通。阿芙洛狄忒绝对不会去面对一个巨型的恶灵的。

或者某种真正可怕，像埃利奥特变成的那种鬼。

我开始放松下来，迎接已经熟悉的力量。四个暗夜之女拿起她们代表的元素的蜡烛，走到亭子中这个小圈子里的正确位置。阿芙洛狄忒召唤风，只有我能感觉到风轻拂过我的头发。我闭上眼睛，享受皮肤上穿过的电流。事实上，除了阿芙洛狄忒和那些自命不凡的暗夜之女，我已经开始享受仪式的开端了，而且埃里克站在我旁边，这也让我不用在意没人和我说话了。

我更加放松，突然确定这也没那么坏。我会和我的朋友们团结起来，聚在一起找出那诡异的鬼魂到底是什么。而且我可能还能得到一个非常热辣的男朋友。一切都会好的。我睁开眼，看阿芙洛狄忒在圈子里走动。每种元素都在我身上游走。我想知道为什么埃里克站得离我那么近却没注意到。我甚至偷偷地瞥了他一眼，有点希望元素在我皮肤上显现时他会盯着我看。但是，他和其他人一样，都看着阿芙洛狄忒。（这让我很恼火——他不是也应该偷看我吗？）之后阿芙洛狄忒开始召唤祖先的灵魂了，连我也禁不住专心看着她。她站在桌边，握着一长束编起来的干草放在代表精灵的紫色蜡烛的火焰上，干草很快被点着了。她让火焰燃烧了一会儿才扑灭。她在身边轻轻挥舞干草，一边开始说话。四周烟雾缭绕，我闻了闻，认出是白菖蒲的味道，可以吸引灵力，所以是仪式用最神圣的植物之一。外婆经常在祈祷的时候使用。我皱起眉，感到一丝忧虑。白菖蒲应该在点燃鼠尾草净化周围之后才能使用，不然，可能会招来一切能量，而“一切”可不总是好的。但就算我能阻止仪式，再说什么也太迟了。她已经开始召唤灵魂了。她的声音带着叫人害怕的念经般的腔调，在四周缭绕的香烟中，更加明显了。

> 在这冬节之夜，所有先祖的灵魂，请听我的召唤。在这冬节之夜，让我声音被这烟雾传到彼方，那里闪亮的灵魂在白菖蒲烟雾的记忆中舞蹈。在这冬节之夜，我并非召唤我们人类的先祖。不，我让他们长眠，无论生死，他们不需在此。在这冬节之夜，我召唤魔法的先祖——神秘的先祖——那些曾经超越人类，那些即使死亡也超越人类的先祖。

我完全入神了，和其他人一样看着盘旋的烟雾变化，开始组成形体。一开始我以为自己看到了什么，还使劲儿眨眨眼睛把眼睛弄清晰，但我很快明白我所见到的和视线模糊无关。在烟雾之中是有人在形成。他们模糊不清，比起实在的身体，不如说只是一个身体的轮廓。但随着阿芙洛狄忒继续挥舞白菖蒲，他们逐渐变得实体化了，圈子里突然充满了幽灵般的形象，有着黑暗深陷的眼睛、长大的嘴巴。

他们和伊丽莎白或埃利奥特一点都不像，事实上，他们才像我想象中鬼魂的样子——烟雾缭绕、半透明，让人毛骨悚然。我闻了闻空气，没有，我肯定没有闻到任何老旧地下室的讨厌味道。

阿芙洛狄忒把还在燃烧的草束放下，拿起高脚杯。就从我这里看去，她好像也苍白得非常同寻常，仿佛同化了某些鬼魂的特征。她的红裙子在灰色的烟雾中显得异常鲜亮。

“我向你致敬，祖先的灵魂，请你接受我们供奉的血酒，记起生命的味道。”她举起高脚杯，而烟尘的形体明显兴奋得开始扭动起来，“我向你致敬，祖先的灵魂，在我圈子的保护下，我……”

“佐！我就知道只要我下够工夫，一定能找到你！”

希斯的声音穿过夜空，打断了阿芙洛狄忒的话。

第二十八章 取代

“希斯！你在这儿干吗？”

“嗯，你没回我电话。”他当着众人的面就抱住了我。不用月光，我也能看见他双眼布满血丝。“我想你，佐！”他喷出满嘴的啤酒味。

“希斯，你得离开——”

“不，让他留下。”阿芙洛狄忒打断我。

希斯瞥了她一眼，我想象着在他眼中阿芙洛狄忒的样子。她置身凉亭的射灯照耀下的白菖蒲烟雾中，闪亮如置身水底。红裙子紧贴身体，浓密的金发垂在身后，嘴唇弯出一个刻薄的微笑，但我肯定希斯会误会，以为她是个好人。事实上，他可能根本没注意到烟雾的鬼魂已经停止围绕高脚杯盘旋，转而用空洞的眼睛看着他。他也没注意到阿芙洛狄忒的声音里的诡异和空洞，她目光直直盯着。见鬼，要知道希斯除了她的大胸之外什么都不会注意到。

“酷，吸血鬼小妞！”希斯的话完全证明我猜对了。

“把他赶出去。”埃里克的声音里带着紧张和担忧。

希斯把眼睛从阿芙洛狄忒的胸部移开，瞪着埃里克："你是谁？"

啊，糟了，我听出了这种语气。希斯嫉妒地要发作的时候就会有这种语气。（这也是他只是前男友的原因。）

"希斯，你得离开这里。"我说。

"不。"他靠得我更近，占有地用手臂环绕住我的肩膀，但他没看我，而是一直盯着埃里克，"我来见我女朋友，我要看我女朋友。"

希斯的胳膊放在我肩头，但我无视他的脉动，没做出什么恶心或讨厌的事情，比如咬他的手腕，而是甩掉他的胳膊，把他猛拉向我，不让他看埃里克。

"我不是你的女朋友。"

"啊，佐，你总是这么说。"

我咬牙切齿，天哪，他真够呆的！（只是前男友的另一个原因。）

"你傻呀？"埃里克说。

"瞧你这个吸血鬼浑蛋，我——"希斯刚要说话，但阿芙洛狄忒陌生的声音压过了他。

"上来，人类！"

我们的眼睛都被怪异的力量吸引过去。希斯、埃里克和我（当然还有所有的暗夜子女）都盯着她。她全身都很奇怪，是在一阵一阵跳动？怎么可能？她甩了甩头发，然后伸出一只手，像个下流的脱衣舞女，捧着胸口，又在扭动着双腿，而另一只手举起，弯曲手指，召唤希斯。

"到我这儿来，人类，让我尝尝你。"

坏了，不对劲儿。他要是踏进圈子，肯定有什么恐怖的事情要发生。

希斯完全被她迷惑住了，毫不犹豫地（或者说毫无理智地）向前蹒跚走去。我抓住他的一只胳膊，也很高兴地看着埃里克抓住他另一只胳膊。

“站住，希斯！我要你走，现在。你不属于这里。”

希斯费了一番力才把眼睛从阿芙洛狄忒身上移开。他挣脱埃里克抓住的胳膊，几乎是对他吼了一声。然后又转向我。

“你背叛我！”

“你有没有听啊？我不可能背叛你。我们已经分手了！现在出去——”

“要是他拒绝我们的召唤，那我们就去他那儿。”

我的头猛转过去，看见阿芙洛狄忒的身体抽搐着，冒出一缕缕灰烟。她喘息一声，又像哭泣又像尖叫。那些灵魂，包括明显已经附在她身上的那个，冲到圈子边缘，想冲出去抓住希斯。

“阻止他们，阿芙洛狄忒。不然他们会杀了他！”达米恩叫着从水池边一圈装饰的树篱后走出来。

“达米恩，怎么——”我刚要说，但他摇头。

“没时间解释。”他急急说完又把注意力转向阿芙洛狄忒，“你知道他们是什么。”他叫道，“你必须把他们困在圈子里，否则他就会死。”

阿芙洛狄忒苍白得也和鬼一样。她躲开还在想逃出无形圈子束缚烟尘形体，直到被挤到桌子边上。

“我不会阻止他们。他们如果要他，那就让他们去，总比抓住我——或其他人强。”阿芙洛狄忒说。

“对啊，我们才不想被搅进去！”可怕说完就扔下蜡烛，蜡烛啪地熄灭了。她再也没说什么就跑出了圈子，冲下亭子的台阶。其他三个代表元素的女孩也跟着她快速消失在夜色里，任由蜡烛翻倒，熄灭。

我恐怖地看着其中一个灰色的形体开始穿过圈子。幽灵般的烟雾身体开始往台阶下渗透，让我觉得像蛇一样向我们滑行过来。

我感觉暗夜子女们不安起来，都看着我，他们紧张地向后退，表情因为害怕而扭曲。

“现在看你的了，佐伊。”

“斯蒂芬·雷！”

她摇摇晃晃在站在圈子中间，扔掉盖在身上的斗篷，我看见她手腕上缠着白亚麻绷带。

“我告诉过你我们要聚在一起的。”她虚弱地冲我笑笑。

“最好快点。”肖妮说。

“鬼魂要把你前男友吓瘫了。”艾琳说。

我回头看见双胞胎站在脸煞白、大张着嘴的希斯旁边，被纯正的幸福感动了。他们没有抛弃我！我不是一个人！

“让我们来吧！”我说，“叫他别动！”我告诉埃里克，他一脸惊愕地盯着我。

不用回头，也可以确定我的朋友们跟着我，我赶紧登上陡峭的台阶，向满是鬼魂的亭子走去。接触到圈子边缘的时候我犹豫了一下。那些灵魂正在慢慢穿过边界，他们的注意力全在希斯身上。我深吸一口气，踏进无形的屏障中，感觉到不耐烦的死魂拂过我的皮肤时带来的一阵恶寒。

“你没权利到这儿来，这是我的圈子。”阿芙洛狄忒说。她控制住自己，向我撅起嘴，挡住我，不让我靠近桌子和现在唯一还燃烧着的代表精灵的蜡烛。

“曾经是你的圈子。现在你得闭上嘴，让开。”我告诉她。

阿芙洛狄忒冲我眯起眼睛。

啊，糟糕，我真没时间对付她。

“死大头，你照着佐伊的话做，这两年我一直等着踹你呢！”肖妮说着站到我身边。

“我也是，你这个讨厌的贱人！”艾琳也说着站到了我的另一边。

双胞胎还没向她扑去，希斯的尖叫声已经响彻夜空。我转过身，看见烟雾已经爬上他的腿，在他牛仔裤上留下一道长长的裂痕，立刻就有血渗出来。他惊恐地乱踢乱喊。埃里克没逃跑，而且也在与烟雾对抗，此时有些烟雾甚至也已经缠上他，划破他的衣服和皮肤。

“快！就位！”我在他们血的味道诱惑我分神之前喊道。

我的朋友们跑到被遗弃的蜡烛前，快速捡起，在正确的位置上待命。

我绕过阿芙洛狄忒，她盯着希斯和埃里克，手压住嘴阻止住自己的尖叫。我抓起紫色的蜡烛，向达米恩冲去。

“风！我召唤你到这个圈子里来！”我叫道，用紫色蜡烛去点黄色蜡烛。当熟悉的旋风突然刮起，在我四周猛烈环绕，吹乱我的头发时，我松了口气，简直想哭。

我用手护住紫色蜡烛，跑向肖妮：“火！我召唤你到这个圈子里来！”我点着蜡烛，热浪便随着旋风而来。我没停，继续顺时针在圈子里移动：“水！我召唤你到这个圈子里来！”海洋来了，盐的味道与甜的味道同时出现。“大地！我召唤你到这个圈子里来！”我点着斯蒂芬·雷的蜡烛，尽力不因她手腕上的绷带而畏缩。她苍白得不正常，但当空气中充满刚切割的干草的气息时，她还是咧开嘴笑了。

希斯又尖叫起来，我冲到圈子的中间，举起紫色的蜡烛：“精灵！我召唤你到这个圈子中来！”能量呼啸而来。我瞥了一眼圈子的边界，确定看见了彩带般的力量环绕着圈子。我闭上眼睛一会儿。哦，谢谢你，尼克斯！

我把蜡烛放在桌子上，抓起盛着血酒的高脚杯。我面向希斯、埃里克和那群鬼魂。

“这才是你们的祭品！”我叫道，把杯中的液体围着我倒成一圈，地上形成一个血色的圈子，“召唤你们来此，不是为了杀人。只因为今天是冬节，我们要缅怀你们。”我倒出更多的酒，尽力抵制住血酒气味的诱惑。

鬼魂暂停了攻击，我把注意力集中在他们身上，不给时间让自己被希斯眼中的恐惧和埃里克的痛苦所干扰。

“我们喜欢温热年轻的血液，祭司。”可怕的声音回答我，让我一阵毛骨悚然。我发誓我可以闻到他吐出的腐肉气息。

我使劲儿咽下口水：“我明白，但这些生命并非你们可以夺取的。今夜是庆典之夜，并非死亡之夜。”

“但我们仍然选择死亡——这是我们的最爱。”幽灵般的大笑随着被污染的白菖蒲烟雾飘浮在空中，而灵魂又开始向希斯聚集过去。

我扔掉高脚杯，举起双手：“那我不再请求你们了。我和你们说话，风、火、水、大地和精灵！我以尼克斯之名命令你们关闭圈子，将逃逸的死灵拉回来。现在！”

热量从我身体里喷涌而出，沿着我伸出的双手散射出去。滚烫的咸风冲出，一阵闪亮的绿色雾气从我这里向下沿着台阶呼啸而去，在希斯和埃里克周围旋转着，把他们的衣服和头发都吹得狂乱。魔法之风抓住烟尘的形体，把他们从祭品身上撕扯下来。随着一阵震耳欲聋的呼啸声，把他们全都吸回到圈子的边界之内。刹那间我身边全是幽灵般的形体，我能感觉到危险和饥饿的脉动，就如同之前我感觉到希斯的血液那样清晰。阿芙洛狄忒蜷在椅子上，畏缩着躲避鬼魂。其中一个鬼魂拂过她，她一阵尖叫，让鬼魂更加躁动不安，猛烈地推挤着我。

“佐伊！”斯蒂芬·雷叫着我的名字，声音因为恐惧而变得尖锐。我看见她犹豫着向我走来。

“别！”达米恩厉声说，“别破坏圈子。他们伤害不了佐伊——也伤害不了我们，圈子很强大。但我们不能破坏圈子。”

“我们哪里也不能去。”肖妮说。

“不去，我喜欢在这待着。”艾琳说，就是听着有点喘不过气。

我感觉他们的忠诚、信任和接纳就像是第六种元素，让我充满信心，我挺直腰杆，看着盘旋发怒的鬼魂。

“我们不离开。也就是说你们必须离开。”我指指泼洒开的血酒，“带着你们的祭品，离开这里。今晚只能给你们这么多。”

烟尘鬼魂安静下来，我知道已经镇住他们，我深吸一口气，决定结束此事。

“我以元素的力量命令你们：走！”

瞬间，好像有一个看不见的巨人把他们拍散，他们溶解在亭子被血酒浸透的地面上，不知怎么吸收了地上的液体，都一起消失了。

我长长舒了一口气，不自觉地转向达米恩。

“谢谢你，风，你可以离开了。”他刚要吹灭蜡烛，但根本无须他动，突然一阵小风，顽皮地帮他代劳了。达米恩冲我咧嘴一笑，眼睛突然瞪得溜圆。

“佐伊！你的烙印！”

“什么？”我抬手触摸额头，有点刺痛，肩膀和脖子也是（我压力太大的时候经常肩膀和脖子疼），另外我浑身因为元素力量的作用还有点颤抖，所以我没有注意到额头怎么了。

他惊讶的表情变成了快乐：“结束圈子吧，然后你可以用艾琳的随便哪面镜子看看发生了什么。”

我转向肖妮，向火告别。

“哇——太惊人了！”肖妮盯着我说。

“嘿，你怎么知道我包里有不止一面镜子？”艾琳从圈子的另一头向达米恩抱怨着。我转向她，送走水。她看见我的时候眼睛也瞪得大大的。“我靠！”她说。

“艾琳，你真不该在神圣的圈子里说粗话。你们都知道这不——”我转向斯蒂芬·雷，告别大地的时候，她正用甜美的俄克拉何马州鼻音说着，但话语突然中断了，她喘了口气，“啊，我的老天哪！”

我叹了口气。见鬼，现在什么情况？我回到桌边，举起代表精灵的蜡烛。

“谢谢你，精灵。你可以离开了。”我说。

“为什么？”阿芙洛狄忒突然站起身，撞到了椅子。她也和其他人一样，用一副震惊到可笑的表情盯着我：“为什么是你？为什么不是我？”

“阿芙洛狄忒，你在说什么啊？”

“她在说这个。”艾琳从她老背在肩上的时髦小皮包里掏出一个粉盒递给我。

我打开照了照，一开始，我没明白自己看到了什么——太陌生，太惊人了。然后，斯蒂芬·雷在我旁边低声说：“很美……”

我才明白她说得对。是很美。我的烙印延伸了。湛蓝色精致的蕾丝螺旋图案出现在我的眼周。不像成年吸血鬼那么复杂、那么大，但对一个新生来说，是闻所未闻的。我的手指在螺旋图案上游移，想着这看起来像是该装饰在一个外国公主脸上的纹饰……或许是女神的大祭司该有的纹饰。我使劲儿盯着自己，那不是真正的我——这个陌生人变得越来越熟悉了。

“这还不是全部，佐伊，看看你的肩膀。”达米恩柔声说。

我低头看漂亮裙子的露肩部分，浑身不禁惊得一震。我的肩膀上也有了刺青。从脖子延伸到肩膀和后背，都是和我脸上类似的湛蓝色螺旋式刺青，不过我身上的烙印看起来更古典、更神秘，因为其中点缀着像是字母的符号。

我张大嘴，却说不出话来。

“Z，他需要帮忙。”埃里克的话打断了我的震惊，我回头看见他摇摇晃晃地走近亭子，半扛着失去的意识的希斯。

“随便吧，把他放在这儿。”阿芙洛狄忒说，“早上会有人发现他的，我们得在保安醒来之前离开。”

我转向她：“你不是问为什么是我不是你吗？也许因为尼克斯厌倦了你的自私、娇宠、放松、可恨……”我停下来，激动得想不出更多的形容词了。

“恶毒！”艾琳和肖妮同时补充。

“对，恶意欺凌。”我向她靠近一步，盯着她的脸，“就算没有你这种人，整个转变的过程已经很艰难了，除非我们想当你的——”我微笑着瞥了一眼达米恩，“你这谄媚之徒，不然你让我们感觉没有归属——好像我们一无是处。都结束了，阿芙洛狄忒，你今晚的所作所为是彻底错误的。你差点害死希斯，没准儿埃里克和其他人都牵连进去，都是因为你的自私。”

“你男朋友跟踪你到这儿又不是我的错。”她叫道。

“对，希斯来这里不是你的错，但也就这么一件了。你所谓的朋友不顾圈子的安全逃跑是你的错。从一开始招来负面的灵魂就是你的错。”她一脸迷惑，更让我异常愤怒，“鼠尾草，你这个讨厌的巫婆！你应该先用鼠尾草净化负面能量再用白菖蒲。难怪把那么恐怖的灵魂都给招来了。”

“对，因为你就很可怕。”斯蒂芬·雷说。

“你没资格说话，‘冰箱’。”阿芙洛狄忒冷笑着。

“不对！”我手指戳着她的脸，“‘冰箱’这种垃圾就是头一个该停止的东西。”

“哦，所以现在你就假装你没有比我们其他人更渴望喝血？”

我瞥了一眼我的朋友们。他们看我的眼神中并没有畏缩。达米恩鼓励地微笑着。斯蒂芬·雷冲我点点头。双胞胎对我眨眨眼。我这才明白自己是个傻瓜，他们不会逃避我，他们是我的朋友。我应该更相信他们一些，虽然我还没学会相信自己。

“我们最终都会喝血。”我简单地说，“否则就会死。但这不会让我们变成怪物，现在是到了暗夜之女不要再演这种角色的时候了。你完了，阿芙洛狄忒。你不再是暗夜之女的首领了。”

“而你就自以为现在就是领导了？”

我点头：“我是。我来暗夜学院不是为了寻求这些力量，我只是想找个地方能融入进去。嗯，不过我猜这就是尼克斯回应我祈祷的方式。”我向朋友们微笑一下，他们也回应我以笑容，“很明显，女神有种幽默感。”

“你这个傻贱人，你无法就这样抢走暗夜之女，只有大祭司才能更换领导。”

“这方便，我就在这儿，不是吗？”娜菲丽特说。

第二十九章　伙伴

娜菲丽特从阴影中走进亭子，快步走向希斯和埃里克。她先摸了摸埃里克的脸，又检查他在奋力把鬼魂从希斯身上拉下来时胳膊上留下的一道道血口子。她的手抚过伤口，我看见血立刻就止住了。埃里克放松地轻叹一声，仿佛痛苦都已经消失了。

“很快会愈合的。一会儿回学校之后来一下医务室，我给你点可以止痛的药膏。”她轻拍他的脸颊，埃里克的脸变得通红，“你留下来保护这个孩子，是个勇敢的吸血鬼战士。我为你骄傲，埃里克·奈特，女神也为你骄傲。”

我为她的赞许也感到高兴，我也为他骄傲。随后又听到四周一阵低声的应和，才明白暗夜子女们都回来了，聚集到亭子的台阶下。他们看了多久了？娜菲丽特把注意力转向希斯，一时间我也把其他人都忘了。她提起被撕破的牛仔裤裤腿，检查他腿上和胳膊上的血口子，然后又捧起他苍白僵硬的脸，自己则闭上眼睛。我看见他的身体变得更僵硬，甚至开始抽搐，之后就和埃里克一样放松地叹了口气。片刻之后，刚才那种跟死神无声对抗的样子没了，看着像是睡安稳了。娜菲丽特还跪在他身边，说："他会好的，今晚除了自己喝醉了，没找到自己的前准女友之外，不会记得其他事情。"她说完抬眼看着我，眼中充满了善良和理解。

"谢谢你。"我低声说。

娜菲丽特向我微微点头，然后站起来面对阿芙洛狄忒。

"我和你都要为今晚发生的事情负责。我早就知道你的自私，但是我一直装做看不见。希望随着年龄的增长和女神的接触能让你成熟，可我错了。"娜菲丽特的声音里带着清晰、有力的命令，"阿芙洛狄忒，我正式解除你作为暗夜子女领导的职位。你不再是见习大祭司，和其他新生没有区别。"娜菲丽特迅速伸出手，抓住阿芙洛狄忒胸前那条石榴石的银项链，从她脖子上扯下来。

阿芙洛狄忒没敢出声，但脸如白垩，目不转睛地盯着娜菲丽特。

大祭司转身面对我："佐伊·里德伯德，从尼克斯让我看见你被烙印开始，我就知道你很特别。"她对我微笑一下，一根手指放在我的下巴上，抬起我的头，让她能好好看着我新加上的烙印。然后她把我的头发拨开，让我脖子、肩膀和悲伤的刺青也露出来。我听见暗夜子女们如同初次看见我那不寻常的烙印一样，惊叹出声。"太特别了，真的太特别了！"她吸口气，收回手，继续说，"今晚你展现了女神赐予你的特殊能力，证明女神的选择是多明智。因为女神赋予的天赋和你的怜悯与智慧，你获得了暗夜子女领导人和见习大祭司的位置。"她递给我阿芙洛狄忒的项链，在我手中沉甸甸的，还留着余热，"要比你的前任更加明智地戴着它。"虽然她做了一个真正惊人的姿势。娜菲丽特，尼克斯的大祭司，向我致敬，她把拳头放在心口，很正式地向我低头，这是吸血鬼表示尊敬的象征。周围除了阿芙洛狄忒之外的人都模仿着她的动作。我的四个朋友冲我咧嘴一笑，又和其他人一样向我低头时，眼泪模糊了我的视线。

但就是在这如此幸福的时刻，我还是觉得有一丝困惑。我为什么怀疑，以至不能告诉娜菲丽特所有的事情呢？

“回学校吧。我会在这里善后。”娜菲丽特说着，快速抱了一下我，在我耳边轻声说道，“我很为你骄傲，佐伊小鸟。”然后她把我轻轻推向我朋友的方向，说，“欢迎暗夜之女的新领导。”

达米恩、斯蒂芬·雷、肖妮和艾琳带头欢呼起来。然后其他人都拥了上来，我好像被亭子里笑声和祝贺声的浪潮给淹没了。我向新“朋友们”点头微笑，但我不是傻瓜。我沉默地提醒自己就在不久之前他们还完全同意阿芙洛狄忒的话。

事情一时半会儿之间也绝对不可能改变。

我们走到桥边，我想起自己的新职责，我们必须安静地穿过社区回学校去，于是我提醒他们走在前面。达米恩、斯蒂芬·雷和双胞胎正要过桥的时候我低声说：“别，你们几个和我一起走。”

他们四个笑得像白痴一样，站在我身边。我碰上斯蒂芬·雷灿烂的目光：“你真不该自愿去当‘冰箱’，我知道你有多害怕。”听出我声音里的责备，她的笑容淡去了。

“要是我不这么做，我们就不知道仪式会在哪里，佐伊。我这么做才能给达米恩发短信，这样他和双胞胎就可以在这里和我会合，我们知道你需要我们。”

我举起手不让她说下去，但她看起来快哭了。我轻轻对她一笑：“我还没说完。我要说你不该这么做，但我很高兴你做了！”我抱了抱她，眼中满含泪水地对他们笑笑，“谢谢你们——我很高兴你们都在这里。”

“嘿，Z，这才是朋友嘛！”达米恩说。

“对。”肖妮说。

“就是。”艾琳说。

然后他们围着我，紧紧地团抱在一起——我爱死这样了。

“嘿，我可以加入吗？”

我抬头看见埃里克站在旁边。

“嗯，可以，绝对可以啊！”达米恩双眼发光地说。

斯蒂芬·雷笑翻了，肖妮叹了口气说：“放弃吧，达米恩，不是一种人的，记得吧？”艾琳随后把我向埃里克推过去，说：“抱他一下吧！他今晚确实想救你男朋友的命。”

“我前任男朋友。”我急忙说。投入埃里克的怀抱中，我就被他身上残存的血的味道和——嗯——他拥抱的味道迷倒了。然后，除此之外，埃里克很用力地吻我，我发誓，我的头上已经天旋地转了。

“拜托，行行好吧！”我听见肖妮说。

“找个房间吧！”艾琳说。

达米恩笑出声来，我有意识地挣脱出埃里克的怀抱。

“我快饿死了。”斯蒂芬·雷说，“‘冰箱’这事真把我弄得很饿。”

“嗯，我们去找点吃的。”我说。

我的朋友们先过桥，我听到肖妮和达米恩为了该吃比萨还是三明治的问题又争起来。

“介意我和你一起走吗？”埃里克问。

“不介意，我习惯了。”我抬头冲他笑笑。

他大笑着走上小桥，我听到身后阴暗处传来一阵非常清晰的、恼怒的声音：“咪——咿——呜——哦！”

“你先走，我马上就赶上来。”我跟埃里克说了一声，就走回非力布鲁克草坪边上的阴影处，“娜拉？咪咪，咪咪，咪咪……”我叫着，果然不出所料，一团毛球非常不悦地跑出小树丛，一直一直抱怨着。我弯腰抱起它，它立刻打起了呼噜。“傻姑娘，要是你不喜欢走那么远，干吗要跟着我到这儿来呢？今天还没受够吗？”我嘟囔着正要往桥上走，阿芙洛狄忒从阴影中走出来，拦住我的去路。

“你今天晚上或许赢了，但不会就这么完了的。”她跟我说。

她让我觉得真的很累：“我不想‘赢’任何事。我只不过想把事情做对。”

“你觉得你做的对吗？”她紧张地在我和亭子之间的路上来回扫

视，好像有人跟踪她似的，“你根本不知道今晚到底发生了什么，你只是被利用了——我们都被利用了。我们是傀儡，所有人都是。”她生气地抹着脸，我才意识到她在哭。

“阿芙洛狄忒，我们之间其实不必像现在这样的。”我轻声说。

“已经这样了！”她厉声说，“这不过是我们设定要演的戏，你会明白的……你会明白的……”阿芙洛狄忒走开了。

一段想法突然在我记忆中意外地浮现。是正在超视中的阿芙洛狄忒，一切都历历在目，言犹在耳。他们死了！不。不。不可能！不对。不，没道理！我不明白……我不……你……你知道。她恐怖的尖叫声还在我脑中可怕地回响。我想到伊丽莎白……埃利奥特……他们在我面前出现的事。她说的很多都能说通。

“阿芙洛狄忒，等等！”她回头看我，“今天你在娜菲丽特办公室看到的景象，到底是关于什么的？”

她慢慢摇摇头：“那只是开始，会变得更糟。”她转过头，突然犹豫了。前面的路被五个孩子挡住了——我的朋友们。

“没事。”我告诉他们，“让她走。”

肖妮和艾琳让开路，阿芙洛狄忒抬起头，把头发甩到身后，大踏步走过去，仿佛整个世界都是她的。我看着她走过桥，胃纠结起来，阿芙洛狄忒知道伊丽莎白和埃利奥特的一些事情，而我最终也要查出到底是怎么回事。

“嘿！”斯蒂芬·雷说。

我看着我的室友兼新任最好的朋友。

“不管发生了什么，我们都在一起。”

我感觉纠结的胃舒展开了。“我们走吧！”我说。

我在朋友的簇拥下，幸福地回家。

桂图登字: 20-2009-197

MARKED by P.C. CAST & KRISTIN CAST

Copyright: ©2007 BY P.C. CAST AND KRISTIN CAST
This edition arranged with ST. MARTIN'S PRESS, LLC.
through BIG APPLE TUTTLE-MORI AGENCY, LABUAN, MALAYSIA.
Simplified Chinese edition copyright:
2010 JIELI PUBLISHING HOUSE
All rights reserved.

图书在版编目（CIP）数据

烙印／(美）卡斯特（Cast,P.C.），(美）卡斯特（Cast,K.）著；徐懿如译.—南宁：接力出版社，2010.6
（暗夜学院）
书名原文：Marked
ISBN 978-7-5448-1414-0

Ⅰ.①烙… Ⅱ.①卡…②卡…③徐… Ⅲ.①长篇小说-美国-现代
Ⅳ.①I712.45

中国版本图书馆CIP数据核字（2010）第100128号

责任编辑：周　锦　张蓓蓓
美术编辑：董　炜　　责任校对：张弘弛
责任监印：刘　元　　版权联络：朱晓卉
媒介主理：常晓武

社　长：黄　俭　　总编辑：白　冰
出版发行：接力出版社
社址：广西南宁市园湖南路9号　　邮编：530022
电话：0771-5863339（发行部）　010-65545240（发行部）
传真：0771-5863291（发行部）　010-65545210（发行部）
网址：http://www.jielibeijing.com　http://www.jielibook.com
E-mail:jielipub@public.nn.gx.cn

经销：新华书店

印制：北京盛源印刷有限公司
开本：890毫米×1240毫米　1/32
印张：8.25　　字数：240千字
版次：2010年8月第1版　　印次：2010年8月第1次印刷
印数：00 001—26 000册
定价：25.00 元

版权所有　侵权必究

凡属合法出版之本书，环衬均采用接力出版社特制水印防伪专用纸，该专用防伪纸迎光透视可看出接力出版社社标及专用字。凡无特制水印防伪专用纸者均属未经授权之版本，本书出版者将予以追究。

质量服务承诺：如发现缺页、错页、倒装等印装质量问题，可直接向本社调换。
服务电话：010-65545440　0771-5863291